CLASSICO

Le Cid

PIERRE CORNEILLE

Dossier par Anna Arzoumanov
Agrégée de lettres modernes

BELIN ■ GALLIMARD

Sommaire

Le Cid

Première de couverture : © Jacques Toledano/Fédé Photo ; avec l'aimable autorisation de Francis Huster.
Deuxième de couverture : [h] © AKG-images/Joseph Martin ; [b] © Agnes Varda/CDDS.
Troisième de couverture : [h] © BM Palazon 2005 ; [b] © Laurence Lot.
Page 178 : © Collection Dagli Orti/Musée Pierre Corneille Rouen/Gianni Dagli Orti/Picture Desk.

ISBN 978-2-7011-5443-5
ISSN 1958-0541

Introduction

Lorsque le public parisien découvre *Le Cid* en 1637, il lui réserve un véritable triomphe que ces mots d'un contemporain, Pellisson, reflètent bien: « On ne pouvait se lasser de voir [la pièce du *Cid*], on n'entendait autre chose dans les compagnies, chacun en savait quelque partie par cœur, on la faisait apprendre aux enfants et en plusieurs endroits de la France il était passé en proverbe de dire: "cela est beau comme *Le Cid*". » Corneille réussit là un coup de maître : grâce au succès de sa pièce, il devient l'un des dramaturges les plus célèbres de tous les temps.
Avec *Le Cid*, Corneille écrit une tragi-comédie haute en couleur qui met en scène le combat entre la grandeur héroïque et la passion amoureuse. Rodrigue, personnage plein de fougue et de panache, doit en effet sacrifier les sentiments qu'il éprouve pour Chimène au profit de l'honneur de son père. Comment parviendra-t-il à résoudre ce dilemme? L'amour finira-t-il par triompher?

À Madame de Combalet[1]

Madame,

Ce portrait vivant que je vous offre représente un héros assez reconnaissable aux lauriers[2] dont il est couvert. Sa vie a été une suite continuelle de victoires, son corps porté dans son armée a gagné des batailles après sa mort et son nom au bout de six cents ans vient encore de triompher en France. Il y a trouvé une réception trop favorable pour se repentir d'être sorti de son pays, et d'avoir appris à parler une autre langue que la sienne. Ce succès a passé mes plus ambitieuses espérances, et m'a surpris d'abord, mais il a cessé de m'étonner depuis que j'ai vu la satisfaction que vous avez témoignée quand il a paru devant vous; alors j'ai osé me promettre de lui tout ce qui en est arrivé, et j'ai cru qu'après les éloges dont vous l'avez honoré, cet applaudissement universel ne lui pouvait manquer. Et véritablement, Madame, on ne peut douter avec raison de ce que vaut une chose qui a le bonheur de vous plaire: le jugement que vous en faites est la marque assurée de son prix; et comme vous donnez toujours libéralement[3] aux véritables beautés l'estime qu'elles méritent, les fausses n'ont jamais le pouvoir de vous éblouir. Mais votre générosité ne s'arrête pas à des louanges stériles pour les ouvrages qui vous agréent[4], elle prend plaisir à s'étendre utilement sur ceux qui

1. **Mme de Combalet** : nièce du cardinal Richelieu.
2. **Lauriers** : symbole de la gloire.
3. **Libéralement** : généreusement.
4. **Agréent** : plaisent.

les produisent, et ne dédaigne point d'employer en leur faveur ce grand crédit que votre qualité et vos vertus vous ont acquis. J'en ai ressenti des effets qui me sont trop avantageux pour m'en taire, et je ne vous dois pas moins de remerciements pour moi que pour *Le Cid*. C'est une reconnaissance qui m'est glorieuse puisqu'il m'est impossible de publier que je vous ai de grandes obligations, sans publier en même temps que vous m'avez assez estimé pour vouloir que je vous en eusse. Aussi, Madame, si je souhaite quelque durée pour cet heureux effort de ma plume, ce n'est point pour apprendre mon nom à la postérité, mais seulement pour laisser des marques éternelles de ce que je vous dois, et faire lire à ceux qui naîtront dans les autres siècles la protestation que je fais d'être toute ma vie,

MADAME,

Votre très humble, très obéissant
et très obligé serviteur,
CORNEILLE.

Personnages

DON FERNAND, *premier Roi de Castille.*

DOÑA URRAQUE, *Infante*[1] *de Castille.*

DON DIÈGUE, *père de don Rodrigue.*

DON GOMÈS, *Comte de Gormas, père de Chimène.*

DON RODRIGUE, *fils de don Diègue et amant de Chimène.*

DON SANCHE, *amoureux de Chimène.*

DON ARIAS,
DON ALONSE, } *gentilshommes castillans.*

CHIMÈNE, *maîtresse de don Rodrigue et de don Sanche.*

LÉONOR, *gouvernante de l'Infante.*

ELVIRE, *suivante de Chimène.*

UN PAGE DE L'INFANTE.

La scène est à Séville.

---

1. **Infante** : fille du roi d'Espagne. Ici, fille du roi de Castille, don Fernand.

ACTE I

Scène 1

LE COMTE, ELVIRE

ELVIRE

Entre tous ces amants dont la jeune ferveur[1]
Adore votre fille, et brigue[2] ma faveur,
Don Rodrigue et Don Sanche à l'envi[3] font paraître
Le beau feu qu'en leurs cœurs ses beautés ont fait naître,
5 Ce n'est pas que Chimène écoute leurs soupirs,
Ou d'un regard propice anime leurs désirs,
Au contraire pour tous dedans[4] l'indifférence
Elle n'ôte à pas un, ni donne d'espérance,
Et sans les voir d'un œil trop sévère, ou trop doux,
10 C'est de votre seul choix qu'elle attend un époux.

LE COMTE

Elle est dans le devoir, tous deux sont dignes d'elle,
Tous deux formés d'un sang, noble, vaillant, fidèle,

1. **Ferveur** : amour.
2. **Brigue** : recherche, convoite.
3. **À l'envi** : en rivalisant.
4. **Dedans** : dans.

Jeunes, mais qui font lire aisément dans leurs yeux
L'éclatante vertu[1] de leurs braves aïeux.
15 Don Rodrigue surtout n'a trait en son visage
Qui d'un homme de cœur ne soit la haute image,
Et sort d'une maison si féconde en guerriers
Qu'ils y prennent naissance au milieu des lauriers[2].
La valeur de son père, en son temps sans pareille,
20 Tant qu'a duré sa force a passé pour merveille,
Ses rides sur son front ont gravé ses exploits,
Et nous disent encor ce qu'il fut autrefois :
Je me promets du fils ce que j'ai vu du père,
Et ma fille en un mot peut l'aimer et me plaire.
25 Va l'en entretenir, mais dans cet entretien,
Cache mon sentiment et découvre le sien,
Je veux qu'à mon retour nous en parlions ensemble ;
L'heure à présent m'appelle au conseil qui s'assemble,
Le Roi doit à son fils choisir un Gouverneur,
30 Ou plutôt m'élever à ce haut rang d'honneur,
Ce que pour lui mon bras chaque jour exécute
Me défend de penser qu'aucun me le dispute.

Scène 2

CHIMÈNE, ELVIRE

ELVIRE, *seule.*

Quelle douce nouvelle à ces jeunes amants !
Et que tout se dispose à leurs contentements !

1. **Vertu** : courage.
2. **Au milieu des lauriers** : au milieu des succès publics.

CHIMÈNE

35 Eh bien, Elvire, enfin, que faut-il que j'espère ?
Que dois-je devenir, et que t'a dit mon père ?

ELVIRE

Deux mots dont tous vos sens doivent être charmés,
Il estime Rodrigue autant que vous l'aimez.

CHIMÈNE

L'excès de ce bonheur me met en défiance[1],
40 Puis-je à de tels discours donner quelque croyance ?

ELVIRE

Il passe bien plus outre, il approuve ses feux[2],
Et vous doit commander de répondre à ses vœux.
Jugez après cela puisque tantôt son père
Au sortir du Conseil doit proposer l'affaire,
45 S'il pouvait avoir lieu de mieux prendre son temps,
Et si tous vos désirs seront bientôt contents.

CHIMÈNE

Il semble toutefois que mon âme troublée
Refuse cette joie, et s'en trouve accablée,
Un moment donne au sort des visages divers,
50 Et dans ce grand bonheur je crains un grand revers[3].

ELVIRE

Vous verrez votre crainte heureusement déçue[4].

CHIMÈNE

Allons, quoi qu'il en soit, en attendre l'issue.

---

1. **Me met en défiance** : me donne de l'inquiétude.
2. **Ses feux** : son amour.
3. **Revers** : retournement de situation.
4. **Déçue** : trompée.

Scène 3

L'Infante, Léonor, Le Page

L'Infante, *au Page.*

Va-t'en trouver Chimène, et lui dis de ma part
Qu'aujourd'hui pour me voir elle attend un peu tard[1],
55 Et que mon amitié se plaint de sa paresse.

Le Page rentre[2].

Léonor

Madame, chaque jour même désir vous presse[3],
Et je vous vois pensive et triste chaque jour
L'informer avec soin comme va son amour.

L'Infante

J'en dois bien avoir soin, je l'ai presque forcée
60 À recevoir les coups dont son âme est blessée,
Elle aime Don Rodrigue et le tient de ma main,
Et par moi Don Rodrigue a vaincu son dédain[4],
Ainsi de ces amants ayant formé les chaînes,
Je dois prendre intérêt à la fin de leurs peines.

Léonor

65 Madame, toutefois parmi leurs bons succès,
On vous voit un chagrin qui va jusqu'à l'excès.
Cet amour qui tous deux les comble d'allégresse[5]
Fait-il de ce grand cœur la profonde tristesse ?
Et ce grand intérêt que vous prenez pour eux
70 Vous rend-il malheureuse alors qu'ils sont heureux ?
Mais je vais trop avant, et deviens indiscrète.

---

1. **Attend un peu tard** : tarde.
2. **Le Page rentre** : il rentre en coulisse, ce qui signifie qu'il sort de scène.
3. **Vous presse** : vous tourmente.
4. **Dédain** : indifférence.
5. **Allégresse** : bonheur.

L'INFANTE

Ma tristesse redouble à la tenir secrète.
Écoute, écoute enfin comme j'ai combattu,
Et plaignant ma faiblesse admire ma vertu.
75 L'amour est un tyran qui n'épargne personne,
Ce jeune Chevalier, cet amant que je donne,
Je l'aime.

LÉONOR

Vous l'aimez !

L'INFANTE

Mets la main sur mon cœur,
Et vois comme il se trouble au nom de son vainqueur,
Comme il le reconnaît.

LÉONOR

Pardonnez-moi, Madame,
80 Si je sors du respect pour blâmer cette flamme[1].
Choisir pour votre amant un simple Chevalier !
Une grande Princesse à ce point s'oublier !
Et que dira le Roi ? que dira la Castille ?
Vous souvenez-vous bien de qui vous êtes fille !

L'INFANTE

85 Oui, oui, je m'en souviens, et j'épandrai mon sang
Plutôt que de rien faire indigne de mon rang.
Je te répondrais bien que dans les belles âmes
Le seul mérite a droit de produire des flammes,
Et si ma passion cherchait à s'excuser,
90 Mille exemples fameux pourraient l'autoriser.
Mais je n'en veux point suivre où ma gloire s'engage,
Si j'ai beaucoup d'amour, j'ai bien plus de courage,

1. **Blâmer cette flamme** : condamner cet amour.

Un noble orgueil m'apprend qu'étant fille de Roi
Tout autre qu'un Monarque est indigne de moi.
95 Quand je vis que mon cœur ne se pouvait défendre,
Moi-même je donnai ce que je n'osais prendre,
Je mis au lieu de moi Chimène en ses liens,
Et j'allumai leurs feux pour éteindre les miens.
Ne t'étonne donc plus si mon âme gênée[1]
100 Avec impatience attend leur hyménée[2],
Tu vois que mon repos en dépend aujourd'hui :
Si l'amour vit d'espoir, il meurt avecque[3] lui,
C'est un feu qui s'éteint faute de nourriture,
Et malgré la rigueur de ma triste aventure
105 Si Chimène a jamais Rodrigue pour mari
Mon espérance est morte, et mon esprit guéri.
Je souffre cependant un tourment incroyable,
Jusques à cet hymen Rodrigue m'est aimable[4],
Je travaille à le perdre, et le perds à regret,
110 Et de là prend son cours mon déplaisir[5] secret.
Je suis au désespoir que l'amour me contraigne
À pousser des soupirs pour ce que je dédaigne,
Je sens en deux partis mon esprit divisé,
Si mon courage est haut, mon cœur est embrasé :
115 Cet hymen m'est fatal, je le crains, et souhaite,
Je ne m'en promets rien qu'une joie imparfaite,
Ma gloire[6] et mon amour ont tous deux tant d'appas[7]
Que je meurs s'il s'achève, et ne s'achève pas.

---

1. **Gênée** : torturée.
2. **Hyménée** (ou hymen) : mariage.
3. **Avecque** : forme ancienne de « avec », qui permet de respecter la mesure de l'alexandrin.
4. **Aimable** : digne d'être aimé.
5. **Déplaisir** : tristesse, chagrin.
6. **Gloire** : réputation.
7. **Appas** : attraits.

LÉONOR

Madame, après cela je n'ai rien à vous dire,
120 Sinon que de vos maux avec vous je soupire :
Je vous blâmais tantôt, je vous plains à présent.
Mais puisque dans un mal si doux et si cuisant
Votre vertu combat et son charme et sa force,
En repousse l'assaut, en rejette l'amorce,
125 Elle rendra le calme à vos esprits flottants.
Espérez donc tout d'elle, et du secours du temps,
Espérez tout du Ciel, il a trop de justice
Pour souffrir la vertu si longtemps au supplice.

L'INFANTE

Ma plus douce espérance est de perdre l'espoir.

LE PAGE

130 Par vos commandements Chimène vous vient voir.

L'INFANTE

Allez l'entretenir en cette galerie.

LÉONOR

Voulez-vous demeurer dedans la rêverie ?

L'INFANTE

Non, je veux seulement, malgré mon déplaisir,
Remettre mon visage un peu plus à loisir[1].
135 Je vous suis. Juste Ciel, d'où j'attends mon remède,
Mets enfin quelque borne au mal qui me possède,
Assure mon repos, assure mon honneur,
Dans le bonheur d'autrui je cherche mon bonheur,

---

1. **Remettre mon visage un peu plus à loisir** : donner à mon visage une allure plus présentable.

Cet hyménée à trois également importe,
140 Rends son effet plus prompt[1], ou mon âme plus forte,
D'un lien conjugal joindre ces deux amants,
C'est briser tous mes fers et finir mes tourments.
Mais je tarde un peu trop, allons trouver Chimène,
Et par son entretien soulager notre peine.

Scène 4

LE COMTE, DON DIÈGUE

LE COMTE

145 Enfin vous l'emportez, et la faveur du Roi
Vous élève en un rang qui n'était dû qu'à moi,
Il vous fait Gouverneur[2] du Prince de Castille.

DON DIÈGUE

Cette marque d'honneur qu'il met dans ma famille
Montre à tous qu'il est juste, et fait connaître assez
150 Qu'il sait récompenser les services passés.

LE COMTE

Pour grands que soient les Rois, ils sont ce que nous sommes,
Ils peuvent se tromper comme les autres hommes,
Et ce choix sert de preuve à tous les Courtisans
Qu'ils savent mal payer les services présents.

DON DIÈGUE

155 Ne parlons plus d'un choix dont votre esprit s'irrite,
La faveur[3] l'a pu faire autant que le mérite ;

---

1. **Prompt** : rapide.
2. **Gouverneur** : personne qui dirige l'éducation des enfants, précepteur.
3. **Faveur** : amitié.

Vous choisissant peut-être on eût pu mieux choisir,
Mais le Roi m'a trouvé plus propre à son désir.
À l'honneur qu'il m'a fait ajoutez-en un autre,
160 Joignons d'un sacré nœud ma maison à la vôtre,
Rodrigue aime Chimène, et ce digne sujet
De ses affections est le plus cher objet :
Consentez-y, Monsieur, et l'acceptez pour gendre.

LE COMTE

À de plus hauts partis Rodrigue doit prétendre,
165 Et le nouvel éclat de votre dignité
Lui doit bien mettre au cœur une autre vanité.
Exercez-la, Monsieur, et gouvernez le Prince,
Montrez-lui comme il faut régir une Province,
Faire trembler partout les peuples sous sa loi,
170 Remplir les bons d'amour, et les méchants d'effroi :
Joignez à ces vertus celles d'un Capitaine,
Montrez-lui comme il faut s'endurcir à la peine,
Dans le métier de Mars[1] se rendre sans égal,
Passer les jours entiers et les nuits à cheval,
175 Reposer tout armé, forcer une muraille,
Et ne devoir qu'à soi le gain d'une bataille.
Instruisez-le d'exemple[2], et vous ressouvenez[3]
Qu'il faut faire à ses yeux ce que vous enseignez.

DON DIÈGUE

Pour s'instruire d'exemple, en dépit de l'envie,
180 Il lira seulement l'histoire de ma vie :
Là dans un long tissu de belles actions
Il verra comme il faut dompter des nations,

---

1. **Mars** : dans la mythologie romaine, dieu de la guerre.
2. **D'exemple** : par l'exemple.
3. **Vous ressouvenez** : souvenez-vous.

Attaquer une place, ordonner une armée,
Et sur de grands exploits bâtir sa renommée.

LE COMTE

185 Les exemples vivants ont bien plus de pouvoir,
Un Prince dans un livre apprend mal son devoir;
Et qu'a fait après tout ce grand nombre d'années
Que ne puisse égaler une de mes journées?
Si vous fûtes vaillant, je le suis aujourd'hui,
190 Et ce bras du Royaume est le plus ferme appui;
Grenade et l'Aragon tremblent quand ce fer[1] brille,
Mon nom sert de rempart à toute la Castille,
Sans moi vous passeriez bientôt sous d'autres lois,
Et si vous ne m'aviez, vous n'auriez plus de Rois.
195 Chaque jour, chaque instant, entasse pour ma gloire
Laurier dessus laurier, victoire sur victoire:
Le Prince, pour essai de générosité[2],
Gagnerait des combats marchant à mon côté,
Loin des froides leçons qu'à mon bras on préfère,
200 Il apprendrait à vaincre en me regardant faire.

DON DIÈGUE

Vous me parlez en vain de ce que je connoi[3],
Je vous ai vu combattre et commander sous moi:
Quand l'âge dans mes nerfs a fait couler sa glace
Votre rare valeur a bien rempli ma place,
205 Enfin pour épargner les discours superflus
Vous êtes aujourd'hui ce qu'autrefois je fus.
Vous voyez toutefois qu'en cette concurrence
Un Monarque entre nous met de la différence.

---

1. **Fer** : épée.
2. **Pour essai de générosité** : pour tester son courage.
3. **Connoi** : forme ancienne de « connais » qui permet la rime avec « moi ».

Le Comte

Ce que je méritais, vous l'avez emporté.

Don Diègue

210 Qui l'a gagné sur vous, l'avait mieux mérité.

Le Comte

Qui peut mieux l'exercer, en est bien le plus digne.

Don Diègue

En être refusé n'en est pas un bon signe.

Le Comte

Vous l'avez eu par brigue[1] étant vieux Courtisan.

Don Diègue

L'éclat de mes hauts faits fut mon seul partisan.

Le Comte

215 Parlons-en mieux, le Roi fait honneur à votre âge.

Don Diègue

Le Roi, quand il en fait[2], le mesure au courage.

Le Comte

Et par là cet honneur n'était dû qu'à mon bras.

Don Diègue

Qui n'a pu l'obtenir, ne le méritait pas.

---

1. **Par brigue** : en intriguant.
2. **Quand il en fait** : quand il fait honneur.

LE COMTE

Ne le méritait pas! moi?

DON DIÈGUE

Vous.

LE COMTE

Ton impudence[1],

220 Téméraire vieillard, aura sa récompense.

Il lui donne un soufflet[2].

DON DIÈGUE

Achève, et prends ma vie après un tel affront,
Le premier dont ma race ait vu rougir son front.

Ils mettent l'épée à la main.

LE COMTE

Et que penses-tu faire avec tant de faiblesse?

DON DIÈGUE

Ô Dieu! ma force usée à ce besoin[3] me laisse.

LE COMTE

225 Ton épée est à moi, mais tu serais trop vain[4]
Si ce honteux trophée avait chargé ma main.
Adieu, fais lire au Prince, en dépit de l'envie,
Pour son instruction l'histoire de ta vie,
D'un insolent discours ce juste châtiment
230 Ne lui servira pas d'un petit ornement.

---

1. **Impudence** : insolence.
2. **Soufflet** : gifle.
3. **À ce besoin** : en cette situation difficile.
4. **Tu serais trop vain** : tu serais trop fier.

DON DIÈGUE

Épargnes-tu mon sang ?

LE COMTE

Mon âme est satisfaite,
Et mes yeux à ma main reprochent ta défaite.

DON DIÈGUE

Tu dédaignes ma vie !

LE COMTE

En arrêter le cours
Ne serait que hâter la Parque[1] de trois jours.

Scène 5

DON DIÈGUE, *seul.*

235 Ô rage, ô désespoir ! ô vieillesse ennemie !
N'ai-je donc tant vécu que pour cette infamie[2] ?
Et ne suis-je blanchi[3] dans les travaux guerriers
Que pour voir en un jour flétrir tant de lauriers ?
Mon bras qu'avec respect toute l'Espagne admire,
240 Mon bras qui tant de fois a sauvé cet Empire,
Tant de fois affermi le Trône de son Roi,
Trahit donc ma querelle[4], et ne fait rien pour moi ?
Ô cruel souvenir de ma gloire passée !
Œuvre de tant de jours en un jour effacée !

1. **Hâter la Parque** : avancer le jour de ta mort (dans la mythologie romaine, les Parques sont les divinités présidant au destin des hommes).
2. **Infamie** : déshonneur.
3. **Ne suis-je blanchi** : n'ai-je vieilli.
4. **Querelle** : cause.

245 Nouvelle dignité[1] fatale à mon bonheur,
Précipice élevé d'où tombe mon honneur,
Faut-il de votre éclat voir triompher le Comte,
Et mourir sans vengeance, ou vivre dans la honte ?
Comte, sois de mon Prince à présent Gouverneur,
250 Ce haut rang n'admet point un homme sans honneur,
Et ton jaloux orgueil par cet affront insigne
Malgré le choix du Roi m'en a su rendre indigne.
Et toi de mes exploits glorieux instrument,
Mais d'un corps tout de glace inutile ornement,
255 Fer, jadis tant à craindre, et qui dans cette offense
M'as servi de parade[2], et non pas de défense,
Va, quitte désormais le dernier des humains,
Passe pour me venger en de meilleures mains ;
Si Rodrigue est mon fils, il faut que l'amour cède,
260 Et qu'une ardeur plus haute à ses flammes succède,
Mon honneur est le sien, et le mortel affront
Qui tombe sur mon chef[3] rejaillit sur son front.

Scène 6

DON DIÈGUE, DON RODRIGUE

DON DIÈGUE

Rodrigue, as-tu du cœur ?

DON RODRIGUE

Tout autre que mon père
L'éprouverait sur l'heure.

1. **Nouvelle dignité** : il s'agit ici de celle de gouverneur du prince de Castille.
2. **Parade** : parure.
3. **Chef** : tête.

DON DIÈGUE

Agréable colère,

265 Digne ressentiment[1] à ma douleur bien doux !
Je reconnais mon sang à ce noble courroux,
Ma jeunesse revit en cette ardeur si prompte,
Viens mon fils, viens mon sang, viens réparer ma honte,
Viens me venger.

DON RODRIGUE

De quoi ?

DON DIÈGUE

D'un affront si cruel

270 Qu'à l'honneur de tous deux il porte un coup mortel,
D'un soufflet. L'insolent en eût perdu la vie,
Mais mon âge a trompé ma généreuse envie[2],
Et ce fer que mon bras ne peut plus soutenir,
Je le remets au tien pour venger et punir.
275 Va contre un arrogant éprouver ton courage ;
Ce n'est que dans le sang qu'on lave un tel outrage,
Meurs, ou tue. Au surplus, pour ne te point flatter[3],
Je te donne à combattre un homme à redouter,
Je l'ai vu tout sanglant au milieu des batailles
280 Se faire un beau rempart de mille funérailles.

DON RODRIGUE

Son nom, c'est perdre temps en propos superflus.

DON DIÈGUE

Donc, pour te dire encor quelque chose de plus,
Plus que brave soldat, plus que grand Capitaine,
C'est…

---

1. **Digne ressentiment** : noble réaction.
2. **Généreuse envie** : désir digne des hommes bien nés.
3. **Flatter** : tromper.

DON RODRIGUE

De grâce achevez.

DON DIÈGUE

Le père de Chimène.

DON RODRIGUE

285 Le…

DON DIÈGUE

Ne réplique point, je connais ton amour,
Mais qui peut vivre infâme est indigne du jour,
Plus l'offenseur est cher, et plus grande est l'offense :
Enfin tu sais l'affront, et tu tiens la vengeance[1],
Je ne te dis plus rien, venge-moi, venge-toi,
290 Montre-toi digne fils d'un tel père que moi ;
Accablé des malheurs où le destin me range[2]
Je m'en vais les pleurer. Va, cours, vole, et nous venge.

Scène 7

DON RODRIGUE, *seul.*

Percé jusques au fond du cœur
D'une atteinte imprévue aussi bien que mortelle,
295 Misérable[3] vengeur d'une juste querelle,
Et malheureux objet d'une injuste rigueur,
Je demeure immobile, et mon âme abattue
Cède au coup qui me tue.

---

1. **Tu tiens la vengeance** : tu as l'opportunité de me venger.
2. **Accablé des malheurs où le destin me range** : désespéré par les malheurs dans lesquels le destin me plonge.
3. **Misérable** : digne de pitié.

Si près de voir mon feu récompensé,
300 Ô Dieu ! l'étrange peine !
En cet affront mon père est l'offensé,
Et l'offenseur le père de Chimène.

Que je sens de rudes combats !
Contre mon propre honneur mon amour s'intéresse[1],
305 Il faut venger un père, et perdre une maîtresse,
L'un échauffe mon cœur, l'autre retient mon bras,
Réduit au triste choix ou de trahir ma flamme,
Ou de vivre en infâme,
Des deux côtés mon mal est infini.
310 Ô Dieu ! l'étrange peine !
Faut-il laisser un affront impuni ?
Faut-il punir le père de Chimène ?

Père, maîtresse, honneur, amour,
Illustre tyrannie, adorable contrainte,
315 Par qui de ma raison la lumière est éteinte,
À mon aveuglement rendez un peu de jour.
Cher[2] et cruel espoir d'une âme généreuse[3]
Mais ensemble[4] amoureuse,
Noble ennemi de mon plus grand bonheur
320 Qui fais toute ma peine,
M'es-tu donné pour venger mon honneur ?
M'es-tu donné pour perdre ma Chimène ?

Il vaut mieux courir au trépas[5] ;
Je dois à ma maîtresse aussi bien qu'à mon père,
325 Qui venge cet affront irrite sa colère,

---

1. **S'intéresse** : prend parti.
2. À partir de ce vers, Rodrigue s'adresse à son épée, désignée par le terme « fer ».
3. **Généreuse** : noble et courageuse.
4. **Ensemble** : en même temps.
5. **Courir au trépas** : mourir.

Et qui peut le souffrir, ne la mérite pas.
Prévenons la douleur d'avoir failli contre elle[1],
Qui nous serait mortelle.
Tout m'est fatal, rien ne me peut guérir,
330 Ni soulager ma peine,
Allons, mon âme, et puisqu'il faut mourir,
Mourons du moins sans offenser Chimène.

Mourir sans tirer ma raison[2] !
Rechercher un trépas si mortel à ma gloire !
335 Endurer que l'Espagne impute à ma mémoire
D'avoir mal soutenu l'honneur de ma maison !
Respecter un amour dont mon âme égarée
Voit la perte assurée !
N'écoutons plus ce penser suborneur[3]
340 Qui ne sert qu'à ma peine,
Allons, mon bras, du moins sauvons l'honneur,
Puisque aussi bien il faut perdre Chimène.

Oui, mon esprit s'était déçu,
Dois-je pas à mon père avant qu'à ma maîtresse ?
345 Que je meure au combat, ou meure de tristesse,
Je rendrai mon sang pur comme je l'ai reçu.
Je m'accuse déjà de trop de négligence,
Courons à la vengeance,
Et tout honteux d'avoir tant balancé[4],
350 Ne soyons plus en peine
(Puisque aujourd'hui mon père est l'offensé)
Si l'offenseur est père de Chimène.

---

1. **Avoir failli contre elle** : lui avoir causé du tort.
2. **Sans tirer ma raison** : sans obtenir de réparation.
3. **Penser suborneur** : pensée trompeuse.
4. **Balancé** : hésité.

Arrêt sur lecture 1

Un quiz pour commencer

Cochez les bonnes réponses.

❶ *Où se déroule l'action de la pièce ?*

- ❐ À Barcelone.
- ❐ À Séville.
- ❐ À Rouen.

❷ *Qu'apprend Elvire à Chimène au début de la pièce ?*

- ❐ Que son père accepte son mariage avec don Sanche.
- ❐ Que son père accepte son mariage avec don Rodrigue.
- ❐ Que son père s'oppose à son mariage avec don Rodrigue.

❸ *De qui Chimène et l'Infante sont-elles amoureuses ?*

- ❐ De don Rodrigue.
- ❐ De don Sanche.
- ❐ De don Diègue.

❹ ***Pour quelle raison don Diègue obtient-il le poste de gouverneur du prince de Castille ?***

❒ Parce que c'est un guerrier couvert de gloire.

❒ Parce qu'il a déjà été le gouverneur de l'Infante et a donné entière satisfaction au roi.

❒ Parce que ce poste se transmet de père en fils.

❺ ***Quelle est l'origine de la dispute entre le Comte et don Diègue ?***

❒ Don Diègue ne veut pas que don Rodrigue épouse Chimène.

❒ Le Comte a offensé don Diègue devant le roi.

❒ Le Comte convoite le poste de gouverneur du prince de Castille.

❻ ***Comment se termine la dispute entre le Comte et don Diègue ?***

❒ Le Comte donne un soufflet à don Diègue.

❒ Don Diègue donne un soufflet au Comte.

❒ Les deux personnages se provoquent en duel.

❼ ***Comment, une fois seul, don Diègue réagit-il à l'affront du Comte ?***

❒ Il est désespéré à l'idée de tuer un homme si respectueux.

❒ Il est désespéré d'avoir subi un affront si déshonorant.

❒ Il est désespéré de voir le mariage de son fils compromis.

❽ ***Comment réagit Rodrigue quand il apprend qu'il doit tuer le Comte ?***

❒ Il tient tête à son père et refuse.

❒ Il accepte immédiatement.

❒ Il ne répond pas immédiatement.

❾ ***Que décide Rodrigue à la fin de l'acte I ?***

❒ De se tuer.

❒ De s'enfuir avec Chimène.

❒ De venger l'honneur de son père.

Des questions pour aller plus loin

Découvrir la mise en place de l'intrigue

Une histoire d'amours

❶ Qui sont Elvire et Léonor ? Quelle est la fonction de chacune d'elles dans les trois premières scènes ?
❷ Qui sont les deux prétendants de Chimène ? Elvire donne-t-elle beaucoup d'informations sur ces personnages ?
❸ Qu'apprend-on sur Rodrigue dans les deux premières scènes ?
❹ Dans les répliques de l'Infante (v. 85-118, p. 15-16), relevez les termes appartenant au champ lexical de l'amour. Qu'est-ce qui interdit à ce personnage de laisser libre cours à son amour pour Rodrigue ?

Une affaire d'honneur

❺ D'après le Comte, qu'a fait don Diègue pour obtenir le poste de gouverneur du prince de Castille ?
❻ Quel geste du Comte constitue une offense irréparable pour don Diègue ? Pourquoi ?
❼ À la fin de la scène 4 (v. 209-230), observez la longueur des répliques du Comte et de don Diègue. Quel est l'effet produit ?
❽ Quels sont les deux types de phrases dominants dans la scène 5 ? En quoi peut-on dire qu'ils révèlent les sentiments de don Diègue ?
❾ Don Diègue s'adresse à son épée à la fin de la scène 5. Comment appelle-t-on cette figure de style ?
❿ De quelle façon don Diègue présente-t-il l'affront à son fils au vers 270 ? Pourquoi l'affront du père est-il aussi celui du fils ?
⓫ Relevez, dans la scène 6, toutes les fois où apparaît le mot « sang ». Précisez son sens à chaque emploi.

Un dilemme

⓬ Dans la scène 6, à quel moment don Diègue révèle-t-il à son fils l'identité de celui qui l'a offensé ? Pourquoi tarde-t-il autant à le lui dire ?
⓭ Rodrigue doit faire un choix très difficile et douloureux. En quoi consiste le dilemme qui le tourmente durant la scène 7 ?
⓮ Comment expliquez-vous les vers 341-342 (p. 28) ? Pourquoi Rodrigue est-il sûr de perdre Chimène quelle que soit sa décision ?
⓯ Rodrigue change-t-il de décision au cours de la scène 7 ? Appuyez votre réponse sur des citations du texte.
⓰ Quelle est finalement la décision de Rodrigue ?

Rappelez-vous !

Lorsque s'ouvre le rideau, le mariage entre Rodrigue et Chimène paraît possible : ils éprouvent un amour réciproque, ils ont obtenu l'accord de leurs pères et leurs rivaux sont écartés. Pourtant, le soufflet que le Comte donne au père de Rodrigue fait tout basculer. Désormais, l'honneur de don Diègue et de sa famille doit être vengé et seule la mort du Comte parviendra à laver l'affront. Or, don Diègue confie cette tâche à son fils qui se voit obligé de sacrifier sa bien-aimée. C'est ainsi que sont mis en place tous les éléments de l'intrigue à la fin de l'acte I.

De la lecture à l'écriture

Des mots pour mieux écrire

❶ *Complétez chacune des phrases suivantes avec le mot qui convient :* **offense, vaillance, rang, dédain, contrainte.**

a. Dans les théâtres au XVIIe siècle, la place des spectateurs dans la salle dépendait de leur ___rang___ social.
b. Je crois qu'il ne me pardonnera jamais l'___offense___ que je lui ai faite en oubliant de l'inviter à mon anniversaire.
c. Rodrigue va devoir faire preuve de ___vaillance___ pour défier le Comte.
d. Il t'a parlé d'un ton désagréable qui exprimait son ___dédain___.
e. Même sous la ___contrainte___, je ne céderai pas.

❷ *Recherchez dans le dictionnaire la définition précise des mots suivants. À quel champ lexical appartiennent-ils ? Employez chacun d'eux dans une phrase qui en éclairera le sens.*
Dignité, affront, infamie, vengeance, outrage, respect, injure.

À vous d'écrire

❶ Imaginez quel aurait pu être le monologue du Comte après sa dispute avec don Diègue.
Consigne. Votre monologue, d'une quinzaine de lignes, sera écrit à la première personne. Le Comte reviendra d'abord sur sa déception de ne pas avoir obtenu le poste de gouverneur du prince de Castille. Puis il fera un portrait de don Diègue qui témoignera à la fois de son admiration pour ses prouesses passées et de son mépris pour la faiblesse dont il a fait preuve lors de leur dispute.

❷ Imaginez la lettre que Rodrigue pourrait écrire à Chimène à la fin de la scène 7 pour justifier sa décision de venger son père.
Consigne. Votre texte, d'une quinzaine de lignes, devra respecter les codes de la lettre : destinataire, lieu, date, formule d'appel et formule finale. Pensez à utiliser des mots empruntés au champ lexical de l'honneur.

Du texte à l'image

➡ Roger Molien (Don Diègue) et Christian Blanc (Don Gomès) dans *Le Cid*, mise en scène de Brigitte Jaques-Wajeman, Comédie-Française, 2005. (Image reproduite en fin d'ouvrage au verso de la couverture.)

Lire l'image

❶ Décrivez les costumes et les postures des deux personnages. Lequel des deux est don Diègue à votre avis ?
❷ Dites ce que les habits des deux personnages révèlent de leurs personnalités.

Comparer le texte et l'image

❸ À quelle scène de l'acte I correspond cette photographie ? Quels détails vous ont permis de répondre ?
❹ Relevez les passages du texte qui donnent des indications sur la gestuelle des personnages. La photographie vous paraît-elle fidèle au texte ?

À vous de créer

❺ Préparez un exposé sur l'histoire du duel en faisant des recherches au CDI et sur Internet. Votre exposé présentera successivement :
– quelques épisodes de duels célèbres, accompagnés d'illustrations ;
– les différents types de duels (à l'épée, au pistolet, etc.) et le protocole traditionnel ;
– la définition du duel d'honneur (donner quelques chiffres sur le nombre de morts par duel au XVIIe siècle) et l'histoire de son interdiction.

ACTE II

Scène 1

DON ARIAS, LE COMTE

LE COMTE

Je l'avoue entre nous, quand je lui fis l'affront
J'eus le sang un peu chaud, et le bras un peu prompt,
355 Mais puisque c'en est fait, le coup est sans remède.

DON ARIAS

Qu'aux volontés du Roi ce grand courage cède,
Il y prend grande part, et son cœur irrité
Agira contre vous de pleine autorité.
Aussi vous n'avez point de valable défense :
360 Le rang de l'offensé, la grandeur de l'offense,
Demandent des devoirs et des submissions[1]
Qui passent le commun des satisfactions.

LE COMTE

Qu'il prenne donc ma vie, elle est en sa puissance.

DON ARIAS

Un peu moins de transport[2], et plus d'obéissance,

---

1. **Submissions** : preuves de soumission.
2. **Transport** : manifestation de colère, réaction violente.

365 D'un Prince qui vous aime apaisez le courroux,
Il a dit: Je le veux. Désobéirez-vous?

LE COMTE

Monsieur, pour conserver ma gloire et mon estime[1]
Désobéir un peu n'est pas un si grand crime.
Et quelque grand qu'il fût, mes services présents
370 Pour le faire abolir[2] sont plus que suffisants.

DON ARIAS

Quoi qu'on fasse d'illustre et de considérable
Jamais à son sujet un Roi n'est redevable:
Vous vous flattez beaucoup, et vous devez savoir
Que qui sert bien son Roi ne fait que son devoir.
375 Vous vous perdrez, Monsieur, sur cette confiance.

LE COMTE

Je ne vous en croirai qu'après l'expérience.

DON ARIAS

Vous devez redouter la puissance d'un Roi.

LE COMTE

Un jour seul ne perd pas un homme tel que moi.
Que toute sa grandeur s'arme pour mon supplice,
380 Tout l'État périra plutôt que je périsse.

DON ARIAS

Quoi? vous craignez si peu le pouvoir souverain?

LE COMTE

D'un sceptre qui sans moi tomberait de sa main?

---

1. **Estime** : réputation.
2. **Pour le faire abolir** : pour faire pardonner mon crime.

Il a trop d'intérêt lui-même en ma personne,
Et ma tête en tombant ferait choir[1] sa couronne.

DON ARIAS

385 Souffrez que la raison remette vos esprits.
Prenez un bon conseil[2].

LE COMTE

Le conseil en est pris.

DON ARIAS

Que lui dirai-je enfin ? Je lui dois rendre compte[3].

LE COMTE

Que je ne puis du tout consentir à ma honte.

DON ARIAS

Mais songez que les Rois veulent être absolus.

LE COMTE

390 Le sort en est jeté, Monsieur, n'en parlons plus.

DON ARIAS

Adieu donc, puisqu'en vain je tâche à vous résoudre ;
Tout couvert de lauriers, craignez encor la foudre[4].

LE COMTE

Je l'attendrai sans peur.

DON ARIAS

Mais non pas sans effet.

---

1. **Choir** : tomber.
2. **Conseil** : décision.
3. **Je lui dois rendre compte** : je dois lui faire un rapport sur votre décision.
4. **Tout couvert de lauriers, craignez encore la foudre** : tout couvert de gloire, craignez encore la colère du roi.

Le Comte

Nous verrons donc par là Don Diègue satisfait.

Don Arias rentre.

395 Je m'étonne[1] fort peu de menaces pareilles.
Dans les plus grands périls je fais plus de merveilles,
Et quand l'honneur y va, les plus cruels trépas
Présentés à mes yeux ne m'ébranleraient pas.

Scène 2

Le Comte, Don Rodrigue

Don Rodrigue

À moi, Comte, deux mots.

Le Comte

Parle.

Don Rodrigue

Ôte-moi d'un doute.

400 Connais-tu bien Don Diègue ?

Le Comte

Oui.

Don Rodrigue

Parlons bas, écoute.

Sais-tu que ce vieillard fut la même vertu[2],
La vaillance, et l'honneur de son temps ? le sais-tu ?

---

1. **M'étonne** : m'effraie.
2. **La même vertu** : le courage en personne.

LE COMTE

Peut-être.

DON RODRIGUE

Cette ardeur que dans les yeux je porte,
Sais-tu que c'est son sang? le sais-tu?

LE COMTE

Que m'importe?

DON RODRIGUE

405 À quatre pas d'ici je te le fais savoir.[1]

LE COMTE

Jeune présomptueux.

DON RODRIGUE

Parle sans t'émouvoir.
Je suis jeune, il est vrai, mais aux âmes bien nées
La valeur n'attend pas le nombre des années.

LE COMTE

Mais t'attaquer à moi! qui t'a rendu si vain[2],
410 Toi qu'on n'a jamais vu les armes à la main?

DON RODRIGUE

Mes pareils à deux fois ne se font point connaître[3],
Et pour leurs coups d'essai veulent des coups de maître.

LE COMTE

Sais-tu bien qui je suis?

---

1. Don Rodrigue provoque le Comte en duel.
2. **Vain** : orgueilleux.
3. **Mes pareils à deux fois ne se font point connaître** : mes semblables n'ont pas besoin de deux occasions pour prouver leur valeur.

DON RODRIGUE

Oui, tout autre que moi
Au seul bruit de ton nom pourrait trembler d'effroi,
415 Mille et mille lauriers dont ta tête est couverte
Semblent porter écrit le destin de ma perte,
J'attaque en téméraire un bras toujours vainqueur,
Mais j'aurai trop de force ayant assez de cœur[1],
À qui venge son père il n'est rien impossible,
420 Ton bras est invaincu, mais non pas invincible.

LE COMTE

Ce grand cœur qui paraît aux discours que tu tiens
Par tes yeux chaque jour se découvrait aux miens,
Et croyant voir en toi l'honneur de la Castille,
Mon âme avec plaisir te destinait ma fille.
425 Je sais ta passion, et suis ravi de voir
Que tous ses mouvements[2] cèdent à ton devoir,
Qu'ils n'ont point affaibli cette ardeur magnanime[3],
Que ta haute vertu répond à mon estime,
Et que voulant pour gendre un Chevalier parfait
430 Je ne me trompais point au choix que j'avais fait.
Mais je sens que pour toi ma pitié s'intéresse[4],
J'admire ton courage, et je plains ta jeunesse.
Ne cherche point à faire un coup d'essai fatal,
Dispense ma valeur d'un combat inégal,
435 Trop peu d'honneur pour moi suivrait cette victoire,
À vaincre sans péril on triomphe sans gloire,
On te croirait toujours abattu sans effort,
Et j'aurais seulement le regret de ta mort.

---

1. **Cœur** : courage.
2. **Mouvements** : sentiments forts.
3. **Magnanime** : qui a de la grandeur d'âme.
4. **S'intéresse** : prend parti.

DON RODRIGUE

D'une indigne pitié ton audace est suivie.
440 Qui m'ose ôter l'honneur craint de m'ôter la vie.

LE COMTE

Retire-toi d'ici.

DON RODRIGUE

Marchons sans discourir.

LE COMTE

Es-tu si las de vivre ?

DON RODRIGUE

As-tu peur de mourir ?

LE COMTE

Viens, tu fais ton devoir, et le fils dégénère[1]
Qui[2] survit un moment à l'honneur de son père.

Scène 3

L'INFANTE, CHIMÈNE, LÉONOR

L'INFANTE

445 Apaise, ma Chimène, apaise ta douleur,
Fais agir ta constance en ce coup de malheur,
Tu reverras le calme après ce faible orage,
Ton bonheur n'est couvert que d'un petit nuage,
Et tu n'as rien perdu pour le voir différer[3].

---

1. **Dégénère** : a moins de valeur.
2. **Qui** : s'il.
3. **Différer** : retarder.

CHIMÈNE

450 Mon cœur outré d'ennuis[1] n'ose rien espérer,
Un orage si prompt qui trouble une bonace[2]
D'un naufrage certain nous porte la menace.
Je n'en saurais douter, je péris dans le port.
J'aimais, j'étais aimée, et nos pères d'accord,
455 Et je vous en contais la première nouvelle
Au malheureux moment que[3] naissait leur querelle,
Dont le récit fatal sitôt qu'on vous l'a fait
D'une si douce attente a ruiné l'effet[4].
Maudite ambition, détestable manie,
460 Dont les plus généreux souffrent la tyrannie,
Impitoyable honneur, mortel à mes plaisirs,
Que tu me vas coûter de pleurs et de soupirs !

L'INFANTE

Tu n'as dans leur querelle aucun sujet de craindre,
Un moment l'a fait naître, un moment va l'éteindre,
465 Elle a fait trop de bruit pour ne pas s'accorder[5],
Puisque déjà le Roi les veut accommoder[6],
Et de ma part mon âme à tes ennuis sensible
Pour en tarir la source y fera l'impossible.

CHIMÈNE

Les accommodements ne font rien en ce point,
470 Les affronts à l'honneur ne se réparent point,
En vain on fait agir la force, ou la prudence,
Si l'on guérit le mal, ce n'est qu'en apparence,

1. **Outré d'ennuis** : accablé de douleurs.
2. **Bonace** : calme de la mer avant une tempête.
3. **Que** : où.
4. **Effet** : réalisation.
5. **S'accorder** : se résoudre par l'accord des deux partis.
6. **Accommoder** : réconcilier.

La haine que les cœurs conservent au-dedans
Nourrit des feux[1] cachés, mais d'autant plus ardents.

L'INFANTE

475 Le saint nœud[2] qui joindra Don Rodrigue et Chimène
Des pères ennemis dissipera la haine,
Et nous verrons bientôt votre amour le plus fort
Par un heureux Hymen étouffer ce discord[3].

CHIMÈNE

Je le souhaite ainsi plus que je ne l'espère ;
480 Don Diègue est trop altier[4], et je connais mon père.
Je sens couler des pleurs que je veux retenir,
Le passé me tourmente, et je crains l'avenir.

L'INFANTE

Que crains-tu ? d'un vieillard l'impuissante faiblesse ?

CHIMÈNE

Rodrigue a du courage.

L'INFANTE

Il a trop de jeunesse.

CHIMÈNE

485 Les hommes valeureux le sont du premier coup.

L'INFANTE

Tu ne dois pas pourtant le redouter beaucoup,
Il est trop amoureux pour te vouloir déplaire,
Et deux mots de ta bouche arrêtent sa colère.

1. **Feux** : ici, haines.
2. **Saint nœud** : mariage.
3. **Discord** : conflit.
4. **Altier** : orgueilleux.

Chimène

S'il ne m'obéit point, quel comble à mon ennui[1] !
490 Et s'il peut m'obéir, que dira-t-on de lui ?
Souffrir un tel affront étant né Gentilhomme !
Soit qu'il cède, ou résiste au feu qui le consomme[2],
Mon esprit ne peut qu'être, ou honteux, ou confus,
De son trop de respect, ou d'un juste refus.

L'Infante

495 Chimène est généreuse, et quoique intéressée
Elle ne peut souffrir une lâche pensée !
Mais si jusques au jour de l'accommodement
Je fais mon prisonnier de ce parfait amant,
Et que j'empêche ainsi l'effet de son courage[3],
500 Ton esprit amoureux n'aura-t-il point d'ombrage ?

Chimène

Ah ! Madame ! en ce cas je n'ai plus de souci.

Scène 4

l'Infante, Chimène, Léonor, Le Page

L'Infante

Page, cherchez Rodrigue, et l'amenez ici.

Le Page

Le Comte de Gormas et lui…

---

1. **Ennui** : chagrin.
2. **Consomme** : consume.
3. **Que j'empêche ainsi l'effet de son courage** : que je l'empêche d'accomplir sa vengeance.

CHIMÈNE

Bon Dieu ! je tremble.

L'INFANTE

Parlez.

LE PAGE

De ce Palais ils sont sortis ensemble.

CHIMÈNE

505 Seuls ?

LE PAGE

Seuls, et qui semblaient tout bas se quereller.

CHIMÈNE

Sans doute ils sont aux mains, il n'en faut plus parler[1] :
Madame, pardonnez à cette promptitude[2].

Scène 5

L'INFANTE, LÉONOR

L'INFANTE

Hélas ! que dans l'esprit je sens d'inquiétude !
Je pleure ses malheurs, son amant[3] me ravit[4],
510 Mon repos m'abandonne, et ma flamme revit.
Ce qui va séparer Rodrigue de Chimène
Avecque mon espoir fait renaître ma peine,

---

1. **Il n'en faut plus parler** : il ne faut plus parler de la solution que vous évoquiez.
2. **Pardonnez à cette promptitude** : pardonnez-moi de me retirer si rapidement.
3. **Amant** : celui qu'elle aime.
4. **Ravit** : plaît beaucoup.

Et leur division que je vois à regret
Dans mon esprit charmé jette un plaisir secret.

LÉONOR

515 Cette haute vertu qui règne dans votre âme
Se rend-elle si tôt à cette lâche flamme ?

L'INFANTE

Ne la nomme point lâche à présent que chez moi
Pompeuse[1] et triomphante elle me fait la loi.
Porte-lui du respect puisqu'elle m'est si chère ;
520 Ma vertu la combat, mais malgré moi j'espère,
Et d'un si fol espoir mon cœur mal défendu
Vole après un amant que Chimène a perdu.

LÉONOR

Vous laissez choir ainsi ce glorieux courage,
Et la raison chez vous perd ainsi son usage ?

L'INFANTE

525 Ah ! qu'avec peu d'effet on entend la raison,
Quand le cœur est atteint d'un si charmant poison !
Alors que le malade aime sa maladie,
Il ne peut plus souffrir que l'on y remédie.

LÉONOR

Votre espoir vous séduit[2], votre mal vous est doux,
530 Mais toujours ce Rodrigue est indigne de vous.

L'INFANTE

Je ne le sais que trop, mais si ma vertu cède
Apprends comme l'amour flatte[3] un cœur qu'il possède.

1. **Pompeuse** : glorieuse.
2. **Séduit** : trompe.
3. **Flatte** : trompe.

Si Rodrigue une fois sort vainqueur du combat,
Si dessous sa valeur ce grand guerrier s'abat,
535 Je puis en faire cas, je puis l'aimer sans honte,
Que ne fera-t-il point s'il peut vaincre le Comte ?
J'ose m'imaginer qu'à ses moindres exploits
Les Royaumes entiers tomberont sous ses lois,
Et mon amour flatteur déjà me persuade
540 Que je le vois assis au[1] trône de Grenade,
Les Mores[2] subjugués[3] trembler en l'adorant,
L'Aragon recevoir ce nouveau conquérant,
Le Portugal se rendre, et ses nobles journées
Porter delà les[4] mers ses hautes destinées,
545 Au milieu de l'Afrique arborer ses lauriers :
Enfin tout ce qu'on dit des plus fameux guerriers,
Je l'attends de Rodrigue après cette victoire,
Et fais de son amour un sujet de ma gloire.

LÉONOR

Mais, Madame, voyez où vous portez son bras,
550 Ensuite d'un[5] combat qui peut-être n'est pas.

L'INFANTE

Rodrigue est offensé, le Comte a fait l'outrage,
Ils sont sortis ensemble, en faut-il davantage ?

LÉONOR

Je veux que ce combat demeure pour certain.
Votre esprit va-t-il point bien vite pour sa main ?

---

1. **Au** : sur le.
2. **Les Mores** (ou Maures) : terme désignant les populations nord-africaines.
3. **Subjugués** : soumis, vaincus.
4. **Delà les** : au-delà des.
5. **Ensuite d'un** : à la suite d'un.

L'Infante

555 Que veux-tu ? je suis folle, et mon esprit s'égare,
Mais c'est le moindre mal que l'amour me prépare,
Viens dans mon cabinet consoler mes ennuis,
Et ne me quitte point dans le trouble où je suis.

Scène 6

Le Roi, Don Arias, Don Sanche, Don Alonse.

Le Roi

Le Comte est donc si vain, et si peu raisonnable !
560 Ose-t-il croire encor son crime pardonnable ?

Don Arias

Je l'ai de votre part longtemps entretenu,
J'ai fait mon pouvoir[1], Sire, et n'ai rien obtenu.

Le Roi

Justes Cieux ! Ainsi donc un sujet téméraire[2]
A si peu de respect, et de soin de me plaire !
565 Il offense Don Diègue, et méprise son Roi !
Au milieu de ma Cour il me donne la loi !
Qu'il soit brave guerrier, qu'il soit grand Capitaine,
Je lui rabattrai bien cette humeur si hautaine,
Fût-il la valeur même, et le Dieu des combats,
570 Il verra ce que c'est que de n'obéir pas.
Je sais trop comme il faut dompter cette insolence,
Je l'ai voulu d'abord traiter sans violence,

1. **J'ai fait mon pouvoir** : j'ai fait tout ce que j'ai pu.
2. **Téméraire** : audacieux.

Mais puisqu'il en abuse, allez dès aujourd'hui,
Soit qu'il résiste, ou non, vous assurer de lui[1].

Don Alonse rentre.

DON SANCHE

575 Peut-être un peu de temps le rendrait moins rebelle,
On l'a pris tout bouillant encor de sa querelle,
Sire, dans la chaleur d'un premier mouvement
Un cœur si généreux[2] se rend malaisément ;
On voit bien qu'on a tort[3], mais une âme si haute
580 N'est pas si tôt réduite à confesser sa faute.

LE ROI

Don Sanche, taisez-vous, et soyez averti
Qu'on se rend criminel à prendre son parti.

DON SANCHE

J'obéis, et me tais, mais, de grâce encor, Sire,
Deux mots en sa défense.

LE ROI

Et que pourrez-vous dire ?

DON SANCHE

585 Qu'une âme accoutumée aux grandes actions
Ne se peut abaisser à des submissions :
Elle n'en conçoit point qui s'expliquent sans honte,
Et c'est contre ce mot qu'a résisté le Comte.
Il trouve en son devoir un peu trop de rigueur,
590 Et vous obéirait s'il avait moins de cœur.
Commandez que son bras, nourri dans les alarmes,
Répare cette injure à la pointe des armes,

1. **Vous assurer de lui** : l'arrêter.
2. **Généreux** : noble et digne d'admiration.
3. **On voit bien qu'il a tort** : il voit bien qu'il a tort.

Il satisfera[1], Sire, et vienne qui voudra[2],
Attendant qu'il l'ait su, voici qui[3] répondra.

LE ROI

595 Vous perdez le respect, mais je pardonne à l'âge,
Et j'estime l'ardeur en un jeune courage;
Un Roi dont la prudence a de meilleurs objets
Est meilleur ménager du sang de ses sujets.
Je veille pour les miens, mes soucis les conservent,
600 Comme le chef a soin des membres qui le servent:
Ainsi votre raison n'est pas raison pour moi;
Vous parlez en soldat, je dois agir en Roi,
Et quoi qu'il faille dire, et quoi qu'il veuille croire,
Le Comte à m'obéir ne peut perdre sa gloire.
605 D'ailleurs l'affront me touche, il a perdu d'honneur
Celui que de mon fils j'ai fait le Gouverneur,
Et par ce trait hardi d'une insolence extrême
Il s'est pris[4] à mon choix, il s'est pris à moi-même.
C'est moi qu'il satisfait en réparant ce tort.
610 N'en parlons plus. Au reste on nous menace fort:
Sur un avis reçu je crains une surprise.

DON ARIAS

Les Mores contre vous font-ils quelque entreprise?
S'osent-ils préparer à des efforts nouveaux?

LE ROI

Vers la bouche[5] du fleuve on a vu leurs vaisseaux,
615 Et vous n'ignorez pas qu'avec fort peu de peine
Un flux de pleine mer jusqu'ici les amène.

1. **Satisfera** : donnera réparation.
2. **Vienne qui voudra** : quel que soit celui qui voudra se battre contre le Comte.
3. **Qui** : ce qui (il s'agit ici de son épée qu'il montre au roi).
4. **Il s'est pris** : il s'en est pris.
5. **Bouche** : embouchure.

DON ARIAS

Tant de combats perdus leur ont ôté le cœur
D'attaquer désormais un si puissant vainqueur.

LE ROI

N'importe, ils ne sauraient qu'avecque jalousie
620 Voir mon sceptre aujourd'hui régir l'Andalousie,
Et ce pays si beau que j'ai conquis sur eux
Réveille à tous moments leurs desseins généreux:
C'est l'unique raison qui m'a fait dans Séville
Placer depuis dix ans le trône de Castille,
625 Pour les voir de plus près, et d'un ordre plus prompt
Renverser aussitôt ce qu'ils entreprendront.

DON ARIAS

Sire, ils ont trop appris aux dépens de leurs têtes
Combien votre présence assure vos conquêtes:
Vous n'avez rien à craindre.

LE ROI

Et rien à négliger:
630 Le trop de confiance attire le danger,
Et le même ennemi que l'on vient de détruire,
S'il sait prendre son temps, est capable de nuire.

Don Alonse revient.

Toutefois j'aurais tort de jeter dans les cœurs,
L'avis étant mal sûr, de paniques terreurs,
635 L'effroi que produirait cette alarme inutile
Dans la nuit qui survient troublerait trop la ville:
Puisqu'on fait bonne garde aux murs et sur le port,
Il suffit pour ce soir.

DON ALONSE

Sire, le Comte est mort,
Don Diègue par son fils a vengé son offense.

LE ROI

640 Dès que j'ai su l'affront, j'ai prévu la vengeance,
Et j'ai voulu dès lors prévenir ce malheur.

DON ALONSE

Chimène à vos genoux apporte sa douleur,
Elle vient toute en pleurs vous demander justice.

LE ROI

Bien qu'à ses déplaisirs mon âme compatisse,
645 Ce que le Comte a fait semble avoir mérité
Ce juste châtiment de sa témérité.
Quelque juste pourtant que puisse être sa peine,
Je ne puis sans regret perdre un tel Capitaine ;
Après un long service à mon État rendu,
650 Après son sang pour moi mille fois répandu,
À quelques sentiments que son orgueil m'oblige,
Sa perte m'affaiblit, et son trépas[1] m'afflige.

Scène 7

LE ROI, DON DIÈGUE, CHIMÈNE,
DON SANCHE, DON ARIAS, DON ALONSE

CHIMÈNE

Sire, Sire, justice.

DON DIÈGUE

Ah ! Sire, écoutez-nous.

1. **Trépas** : mort.

CHIMÈNE

Je me jette à vos pieds.

DON DIÈGUE

J'embrasse vos genoux.

CHIMÈNE

655 Je demande justice.

DON DIÈGUE

Entendez ma défense.

CHIMÈNE

Vengez-moi d'une mort…

DON DIÈGUE

Qui punit l'insolence.

CHIMÈNE

Rodrigue, Sire…

DON DIÈGUE

A fait un coup d'homme de bien.

CHIMÈNE

Il a tué mon père.

DON DIÈGUE

Il a vengé le sien.

CHIMÈNE

Au sang de ses sujets un Roi doit la justice.

DON DIÈGUE

660 Une vengeance juste est sans peur du supplice.

LE ROI

Levez-vous l'un et l'autre, et parlez à loisir.
Chimène, je prends part à votre déplaisir,
D'une égale douleur je sens mon âme atteinte,
Vous parlerez après, ne troublez pas sa plainte.

CHIMÈNE

665 Sire, mon père est mort, mes yeux ont vu son sang
Couler à gros bouillons de son généreux flanc,
Ce sang qui tant de fois garantit vos murailles,
Ce sang qui tant de fois vous gagna des batailles,
Ce sang qui tout sorti fume encor de courroux
670 De se voir répandu pour d'autres que pour vous,
Qu'au milieu des hasards n'osait verser la guerre,
Rodrigue en votre Cour vient d'en couvrir la terre,
Et pour son coup d'essai son indigne attentat
D'un si ferme soutien a privé votre État,
675 De vos meilleurs soldats abattu l'assurance,
Et de vos ennemis relevé l'espérance.
J'arrivai sur le lieu sans force et sans couleur,
Je le trouvai sans vie. Excusez ma douleur,
Sire, la voix me manque à ce récit funeste,
680 Mes pleurs et mes soupirs vous diront mieux le reste.

LE ROI

Prends courage, ma fille, et sache qu'aujourd'hui
Ton Roi te veut servir de père au lieu de lui.

CHIMÈNE

Sire, de trop d'honneur ma misère est suivie.
J'arrivai donc sans force, et le trouvai sans vie,
685 Il ne me parla point mais pour mieux m'émouvoir
Son sang sur la poussière écrivait mon devoir,

Ou plutôt sa valeur en cet état réduite
Me parlait par sa plaie et hâtait ma poursuite[1],
Et pour se faire entendre au plus juste des Rois
690 Par cette triste bouche elle empruntait ma voix.
Sire, ne souffrez pas que sous votre puissance
Règne devant vos yeux une telle licence[2],
Que les plus valeureux avec impunité[3]
Soient exposés aux coups de la témérité,
695 Qu'un jeune audacieux triomphe de leur gloire,
Se baigne dans leur sang, et brave leur mémoire,
Un si vaillant guerrier qu'on vient de vous ravir
Éteint, s'il n'est vengé, l'ardeur de vous servir.
Enfin mon père est mort, j'en demande vengeance,
700 Plus pour votre intérêt que pour mon allégeance[4];
Vous perdez en la mort d'un homme de son rang,
Vengez-la par une autre, et le sang par le sang,
Sacrifiez Don Diègue, et toute sa famille,
À vous, à votre peuple, à toute la Castille,
705 Le Soleil qui voit tout ne voit rien sous les Cieux
Qui vous puisse payer un sang si précieux.

LE ROI

Don Diègue, répondez.

DON DIÈGUE

Qu'on est digne d'envie
Quand avecque la force on perd aussi la vie,
Sire, et que l'âge apporte aux hommes généreux
710 Avecque sa faiblesse un destin malheureux!
Moi dont les longs travaux ont acquis tant de gloire,
Moi que jadis partout a suivi la victoire,

---

1. **Hâtait ma poursuite** : me poussait à poursuivre au plus vite son meurtrier.
2. **Licence** : excès de liberté.
3. **Avec impunité** : sans que les meurtriers soient punis.
4. **Pour mon allégeance** : pour diminuer ma peine.

Je me vois aujourd'hui pour avoir trop vécu
Recevoir un affront, et demeurer vaincu.
715 Ce que n'a pu jamais combat, siège, embuscade,
Ce que n'a pu jamais Aragon, ni Grenade,
Ni tous vos ennemis, ni tous mes envieux,
L'orgueil dans votre Cour l'a fait presque à vos yeux,
Et souillé sans respect l'honneur de ma vieillesse,
720 Avantagé de l'âge, et fort de ma faiblesse.
Sire, ainsi ces cheveux blanchis sous le harnois[1],
Ce sang pour vous servir prodigué tant de fois,
Ce bras jadis l'effroi d'une armée ennemie,
Descendaient au tombeau tout chargés d'infamie,
725 Si je n'eusse produit un fils digne de moi,
Digne de son pays, et digne de son Roi.
Il m'a prêté sa main, il a tué le Comte,
Il m'a rendu l'honneur, il a lavé ma honte.
Si montrer du courage et du ressentiment,
730 Si venger un soufflet mérite un châtiment,
Sur moi seul doit tomber l'éclat de la tempête :
Quand le bras a failli l'on en punit la tête ;
Du crime glorieux qui cause nos débats,
Sire, j'en suis la tête, il n'en est que le bras,
735 Si Chimène se plaint qu'il a tué son père,
Il ne l'eût jamais fait, si je l'eusse pu faire.
Immolez[2] donc ce chef que les ans vont ravir,
Et conservez pour vous le bras qui peut servir,
Aux dépens de mon sang satisfaites Chimène,
740 Je n'y résiste point, je consens à ma peine,
Et loin de murmurer d'un injuste décret[3]
Mourant sans déshonneur je mourrai sans regret.

---

1. **Harnois** : forme ancienne de « harnais », armure de chevalier.
2. **Immolez** : sacrifiez.
3. **Murmurer d'un injuste décret** : me plaindre d'une décision injuste.

LE ROI

L'affaire est d'importance et, bien considérée,
Mérite en plein conseil d'être délibérée.
745 Don Sanche, remettez Chimène en sa maison,
Don Diègue aura ma Cour et sa foi pour prison.
Qu'on me cherche son fils. Je vous ferai justice.

CHIMÈNE

Il est juste, grand Roi, qu'un meurtrier périsse.

LE ROI

Prends du repos, ma fille, et calme tes douleurs.

CHIMÈNE

750 M'ordonner du repos, c'est croître mes malheurs.

Arrêt sur lecture 2

Un quiz pour commencer

Cochez les bonnes réponses.

❶ *Que demande le roi au Comte par l'intermédiaire de don Arias ?*
- ❒ De s'excuser auprès de don Diègue.
- ❒ De venir lui expliquer ce qui s'est passé entre lui et don Diègue.
- ❒ De ne pas tuer don Diègue.

❷ *Comment le Comte réagit-il à la demande du roi ?*
- ❒ Il se plie à la volonté royale.
- ❒ Il méprise la volonté royale.
- ❒ Il reporte sa décision à plus tard.

❸ *Comment se comporte Rodrigue face au Comte ?*
- ❒ Il est intimidé et le laisse parler.
- ❒ Il le provoque en duel.
- ❒ Il l'invite à se réconcilier avec don Diègue.

❹ ***Que craint Chimène du différend entre le Comte et Rodrigue ?***

❐ Que Rodrigue renonce à son honneur par amour pour elle.

❐ Que Rodrigue sacrifie son amour pour elle au profit de son propre honneur.

❐ Que le Comte tue Rodrigue.

❺ ***Quelle nouvelle apporte le page à l'Infante ?***

❐ Le Comte a tué Rodrigue.

❐ Rodrigue a tué le Comte.

❐ Rodrigue et le Comte sont sortis du palais en se disputant.

❻ ***Quel aveu l'Infante fait-elle à Léonor ?***

❐ Elle souhaiterait que Rodrigue meure : elle serait libérée de l'amour qu'elle lui porte.

❐ Elle espère que la dispute entre le Comte et don Diègue va éloigner Rodrigue de Chimène.

❐ Elle a décidé de se tuer si Rodrigue meurt.

❼ ***Quelle menace pèse sur la Castille ?***

❐ Le peuple affamé commence à se révolter.

❐ Les Mores s'apprêtent à attaquer le royaume.

❐ Le fleuve menace d'inonder la ville.

❽ ***Qu'annonce don Alonse au roi ?***

❐ Que Rodrigue est mort.

❐ Que le Comte est mort.

❐ Que don Diègue est mort.

❾ ***Quelle requête Chimène vient-elle présenter au roi à la fin de l'acte II ?***

❐ Elle lui demande de condamner Rodrigue.

❐ Elle lui demande d'épargner Rodrigue.

❐ Elle lui demande la permission de se retirer dans un couvent.

Des questions pour aller plus loin

☛ Saisir les différents nœuds de l'action

Le duel entre le Comte et Rodrigue

❶ Dans la scène 2, p. 40-43, pourquoi le Comte cherche-t-il à dissuader Rodrigue de se battre avec lui ? Quelle image donne-t-il ainsi de lui-même ?
❷ En vous appuyant sur le texte de la scène 2, décrivez les caractères de Rodrigue et du Comte. Présentez votre réponse dans un tableau en deux colonnes.
❸ Observez la longueur de la plupart des répliques de la scène 2 et le ton employé par les personnages. En quoi peut-on dire que cette scène est un duel verbal ?
❹ À la fin de la scène 2, Rodrigue et le Comte sortent pour se battre. À votre avis, pourquoi ce duel n'est-il pas montré sur scène ?
❺ Quelle est la valeur du présent dans les vers 408, 419 et 436 ? En quoi peut-on dire que ces vers constituent des maximes ?
❻ Dans quelle scène apprend-on l'issue du duel ? Quel est l'effet recherché par le caractère tardif de cette information ?
❼ Pourquoi, selon Chimène, la mort du Comte met-elle un terme définitif à l'espoir d'un mariage entre Rodrigue et elle ?

Amour et vengeance

❽ Dans la scène 2, Rodrigue hésite-t-il encore à défier le père de Chimène ? En quoi ses sentiments ont-ils évolué par rapport à la fin de l'acte I ?
❾ Citez le vers de la scène 7 où Chimène demande pour la première fois au roi de venger la mort de son père. Vous semble-t-elle encore éprouver de l'amour pour Rodrigue ?

❿ Quel mot Chimène répète-t-elle plusieurs fois dans les vers 665 à 670 (p. 56) ? En quel sens, propre ou figuré, emploie-t-elle successivement ce mot ?
⓫ Relevez les détails concrets donnés par Chimène sur la mort de son père. Quel est l'effet recherché sur ses interlocuteurs ?

De la querelle individuelle à l'affaire d'État

⓬ Quels éléments de la scène 7 montrent que la querelle dépasse désormais largement le cadre familial ?
⓭ Quels arguments Chimène utilise-t-elle dans son réquisitoire contre Rodrigue ?
⓮ Quels arguments don Diègue utilise-t-il dans son plaidoyer en faveur de son fils ?
⓯ Relevez, dans les discours de Chimène et de don Diègue, les termes qui appartiennent au champ lexical de la punition.
⓰ Le roi intervient dans la dernière scène de l'acte II. Quelle fonction joue-t-il ? Quel est son verdict ?
⓱ Relevez, dans la scène 7, les éléments qui font penser à un procès.

Rappelez-vous !
Dans l'acte II, il n'est désormais plus possible de revenir en arrière. Rodrigue a tué le Comte et semble donc être irrémédiablement l'ennemi de Chimène. Le conflit est même devenu une affaire d'État : Chimène comme don Diègue demandent au roi en personne de rendre justice.

De la lecture à l'écriture

Des mots pour mieux écrire

❶ *À chaque mot de la liste 1 correspond un synonyme parmi les mots de la liste 2. À vous de faire les paires.*

Liste 1 : trépas, funeste, discord, séduire, ennui, accommoder, charmer, hyménée, altier, courroux.
Liste 2 : fatal, malheur, colère, ensorceler, mort, mariage, orgueilleux, désaccord, réconcilier, tromper.

❷ *Complétez chacune des phrases suivantes avec le mot qui convient :* ressentiment, témérité, licence, châtiment, immoler.

a. Lorsque je lui ai expliqué mon refus, il est parti plein de ______________.
b. Don Diègue préfère ______________ sa propre personne, plutôt que de laisser condamner son fils.
c. Pour don Diègue, le fait que le Comte ait osé critiquer sa nomination au poste de gouverneur du prince de Castille est le signe d'une trop grande ______________ accordée aux grands du royaume.
d. Pour la faute que tu as commise, tu mérites un ______________.
e. Il a fait preuve de ______________ en osant prendre la parole en pleine réunion.

À vous d'écrire

❶ Le Comte est ressorti vainqueur du duel avec Rodrigue. Imaginez la réaction de Chimène.
Consigne. Votre texte prendra la forme d'un dialogue entre Chimène et son père et sera composé de trois répliques par personnage. Vous insisterez sur le désespoir de la jeune fille.

❷ Don Alonse annonce la mort du Comte sans raconter le duel. Imaginez qu'il en ait été le témoin et qu'il en fasse le récit.
Consigne. Votre récit, d'une quinzaine de lignes, sera écrit à la première personne. Don Alonse témoignera de son admiration pour l'attitude héroïque de Rodrigue.

ACTE III

Scène 1

DON RODRIGUE, ELVIRE

ELVIRE

Rodrigue, qu'as-tu fait ? où viens-tu, misérable ?

DON RODRIGUE

Suivre le triste cours de mon sort déplorable[1].

ELVIRE

Où prends-tu cette audace et ce nouvel orgueil
De paraître en des lieux que tu remplis de deuil ?
755 Quoi ? viens-tu jusqu'ici braver l'ombre du Comte ?
Ne l'as-tu pas tué ?

DON RODRIGUE

Sa vie était ma honte,
Mon honneur de ma main a voulu cet effort.

ELVIRE

Mais chercher ton asile en la maison du mort !
Jamais un meurtrier en fit-il son refuge ?

---

1. **Déplorable** : qui est à plaindre.

DON RODRIGUE

760 Jamais un meurtrier s'offrit-il à son Juge ?
Ne me regarde plus d'un visage étonné[1],
Je cherche le trépas après l'avoir donné,
Mon Juge est mon amour, mon Juge est ma Chimène,
Je mérite la mort de mériter sa haine[2],
765 Et j'en viens recevoir comme un bien souverain[3],
Et l'arrêt[4] de sa bouche, et le coup de sa main.

ELVIRE

Fuis plutôt de ses yeux, fuis de sa violence,
À ses premiers transports dérobe ta présence ;
Va, ne t'expose point aux premiers mouvements
770 Que poussera l'ardeur de ses ressentiments[5].

DON RODRIGUE

Non, non, ce cher objet[6] à qui j'ai pu déplaire
Ne peut pour mon supplice avoir trop de colère,
Et d'un heur sans pareil[7] je me verrai combler
Si pour mourir plutôt je la puis redoubler[8].

ELVIRE

775 Chimène est au Palais de pleurs toute baignée,
Et n'en reviendra point que bien accompagnée.
Rodrigue, fuis de grâce, ôte-moi de souci[9],
Que ne dira-t-on point si l'on te voit ici ?

---

1. **Étonné** : bouleversé.
2. **De mériter sa haine** : puisque je mérite sa haine.
3. **Souverain** : au-dessus des autres.
4. **Arrêt** : jugement, sentence.
5. **Ardeur de ses ressentiments** : violence de sa rancune.
6. **Cher objet** : personne aimée ; ici, Chimène.
7. **Heur sans pareil** : bonheur inégalable.
8. **Je la puis redoubler** : je peux augmenter sa colère.
9. **Ôte-moi de souci** : délivre-moi de ce souci.

Veux-tu qu'un médisant l'accuse en sa misère[1]
780 D'avoir reçu chez soi l'assassin de son père ?
Elle va revenir, elle vient, je la vois.
Du moins pour son honneur[2], Rodrigue, cache-toi.

Il se cache.

Scène 2

DON SANCHE, CHIMÈNE, ELVIRE

DON SANCHE

Oui, Madame, il vous faut de sanglantes victimes,
Votre colère est juste, et vos pleurs légitimes,
785 Et je n'entreprends pas à force de parler,
Ni de vous adoucir, ni de vous consoler.
Mais si de vous servir je puis être capable,
Employez mon épée à punir le coupable,
Employez mon amour à venger cette mort,
790 Sous vos commandements mon bras sera trop fort.

CHIMÈNE

Malheureuse !

DON SANCHE

Madame, acceptez mon service.

CHIMÈNE

J'offenserais le Roi, qui m'a promis justice.

---

1. **Misère** : malheur.
2. **Honneur** : réputation.

DON SANCHE

Vous savez qu'elle marche avec tant de langueur
Que bien souvent le crime échappe à sa longueur[1],
795 Son cours lent et douteux fait trop perdre de larmes ;
Souffrez qu'un Chevalier vous venge par les armes,
La voie en est plus sûre, et plus prompte à punir.

CHIMÈNE

C'est le dernier remède, et s'il y faut venir,
Et que de mes malheurs cette pitié vous dure,
800 Vous serez libre alors de venger mon injure[2].

DON SANCHE

C'est l'unique bonheur où[3] mon âme prétend,
Et pouvant l'espérer je m'en vais trop content.

Scène 3

CHIMÈNE, ELVIRE

CHIMÈNE

Enfin je me vois libre, et je puis sans contrainte
De mes vives douleurs te faire voir l'atteinte[4],
805 Je puis donner passage à mes tristes soupirs[5],
Je puis t'ouvrir mon âme, et tous mes déplaisirs.
Mon père est mort, Elvire, et la première épée
Dont s'est armé Rodrigue a sa trame coupée[6].

---

1. **Longueur** : lenteur.
2. **Mon injure** : le déshonneur que j'ai subi.
3. **Où** : auquel.
4. **Atteinte** : blessure.
5. **Je puis donner passage à mes tristes soupirs** : je peux donner libre cours à mes malheurs.
6. **Sa première épée a sa trame coupée** : la première fois qu'il a utilisé l'épée, il a ôté la vie à mon père.

Pleurez, pleurez mes yeux, et fondez-vous en eau,
810 La moitié de ma vie[1] a mis l'autre au tombeau,
Et m'oblige à venger, après ce coup funeste,
Celle que je n'ai plus, sur celle qui me reste.

ELVIRE

Reposez-vous, Madame.

CHIMÈNE

Ah ! que mal à propos
Ton avis importun[2] m'ordonne du repos !
815 Par où sera jamais mon âme satisfaite
Si je pleure ma perte, et la main qui l'a faite ?
Et que puis-je espérer qu'un tourment éternel
Si je poursuis un crime aimant le criminel ?

ELVIRE

Il vous prive d'un père, et vous l'aimez encore !

CHIMÈNE

820 C'est peu de dire aimer, Elvire, je l'adore :
Ma passion s'oppose à mon ressentiment[3],
Dedans mon ennemi je trouve mon amant,
Et je sens qu'en dépit de toute ma colère
Rodrigue dans mon cœur combat encor mon père.
825 Il l'attaque, il le presse, il cède, il se défend,
Tantôt fort, tantôt faible, et tantôt triomphant :
Mais en ce dur combat de colère et de flamme[4]
Il déchire mon cœur sans partager mon âme[5],

---

1. **La moitié de ma vie** : Rodrigue.
2. **Importun** : inapproprié.
3. **Ressentiment** : rancune.
4. **Combat de colère et de flamme** : combat entre la colère et l'amour.
5. **Âme** : raison.

Et quoi que mon amour ait sur moi de pouvoir
830 Je ne consulte[1] point pour suivre mon devoir,
Je cours sans balancer où mon honneur m'oblige ;
Rodrigue m'est bien cher, son intérêt m'afflige,
Mon cœur prend son parti, mais contre leur effort
Je sais que je suis fille, et que mon père est mort.

ELVIRE

835 Pensez-vous le poursuivre[2] ?

CHIMÈNE

Ah ! cruelle pensée,
Et cruelle poursuite où je me vois forcée !
Je demande sa tête, et crains de l'obtenir,
Ma mort suivra la sienne, et je le veux punir.

ELVIRE

Quittez, quittez, Madame, un dessein si tragique,
840 Ne vous imposez point de loi si tyrannique.

CHIMÈNE

Quoi ? J'aurai vu mourir mon père entre mes bras
Son sang criera vengeance et je ne l'orrai[3] pas !
Mon cœur honteusement surpris par d'autres charmes[4]
Croira ne lui devoir que d'impuissantes larmes !
845 Et je pourrai souffrir qu'un amour suborneur[5]
Dans un lâche silence étouffe mon honneur !

ELVIRE

Madame, croyez-moi, vous serez excusable
De conserver pour vous un homme incomparable,

---

1. **Je ne consulte point** : je n'hésite pas.
2. **Poursuivre** : poursuivre en justice.
3. **Orrai** : écouterai.
4. **Surpris par d'autres charmes** : trompé par sa passion ensorcelante pour Rodrigue.
5. **Suborneur** : trompeur.

Un amant si chéri ; vous avez assez fait,
850 Vous avez vu le Roi, n'en pressez point d'effet[1],
Ne vous obstinez point en cette humeur étrange[2].

CHIMÈNE

Il y va de ma gloire, il faut que je me venge,
Et de quoi que nous flatte un désir amoureux,
Toute excuse est honteuse aux esprits généreux.

ELVIRE

855 Mais vous aimez Rodrigue, il ne vous peut déplaire.

CHIMÈNE

Je l'avoue.

ELVIRE

Après tout que pensez-vous donc faire ?

CHIMÈNE

Pour conserver ma gloire, et finir mon ennui[3],
Le poursuivre, le perdre, et mourir après lui.

Scène 4

DON RODRIGUE, CHIMÈNE, ELVIRE

DON RODRIGUE

Eh bien, sans vous donner la peine de poursuivre,
860 Saoulez-vous[4] du plaisir de m'empêcher de vivre.

---

1. **N'en pressez point d'effet** : ne soyez pas trop impatiente.
2. **Humeur étrange** : idée extrême.
3. **Finir mon ennui** : mettre fin à mon malheur.
4. **Saoulez-vous** : rassasiez-vous.

CHIMÈNE

Elvire, où sommes-nous ? et qu'est-ce que je vois ?
Rodrigue en ma maison ! Rodrigue devant moi !

DON RODRIGUE

N'épargnez point mon sang, goûtez sans résistance
La douceur de ma perte et de votre vengeance.

CHIMÈNE

865 Hélas !

DON RODRIGUE

Écoute-moi.

CHIMÈNE

Je me meurs.

DON RODRIGUE

Un moment.

CHIMÈNE

Va, laisse-moi mourir.

DON RODRIGUE

Quatre mots seulement,
Après ne me réponds qu'avecque cette épée.

CHIMÈNE

Quoi ? du sang de mon père encor toute trempée !

DON RODRIGUE

Ma Chimène.

CHIMÈNE

Ôte-moi[1] cet objet odieux

870 Qui reproche ton crime et ta vie à mes yeux.

DON RODRIGUE

Regarde-le plutôt pour exciter ta haine,
Pour croître ta colère, et pour hâter ma peine[2].

CHIMÈNE

Il est teint de mon sang.

DON RODRIGUE

Plonge-le dans le mien,

Et fais-lui perdre ainsi la teinture du tien.

CHIMÈNE

875 Ah ! quelle cruauté, qui tout en un jour tue
Le père par le fer, la fille par la vue !
Ôte-moi cet objet, je ne le puis souffrir[3],
Tu veux que je t'écoute et tu me fais mourir.

DON RODRIGUE

Je fais ce que tu veux, mais sans quitter l'envie
880 De finir par tes mains ma déplorable[4] vie ;
Car enfin n'attends pas de mon affection[5]
Un lâche repentir d'une bonne action :
De la main de ton père un coup irréparable
Déshonorait du mien la vieillesse honorable,
885 Tu sais comme un soufflet touche un homme de cœur ;
J'avais part à l'affront, j'en ai cherché l'auteur,

1. **Ôte-moi** : enlève de ma vue.
2. **Peine** : châtiment.
3. **Souffrir** : supporter.
4. **Déplorable** : digne de pitié.
5. **Mon affection** : l'amour que je te porte.

Je l'ai vu, j'ai vengé mon honneur et mon père,
Je le ferais encor, si j'avais à le faire.
Ce n'est pas qu'en effet contre mon père et moi
890 Ma flamme assez longtemps n'ait combattu pour toi :
Juge de son pouvoir ; dans une telle offense
J'ai pu douter encor si j'en prendrais vengeance,
Réduit à te déplaire, ou souffrir un affront,
J'ai retenu ma main, j'ai cru mon bras trop prompt,
895 Je me suis accusé de trop de violence :
Et ta beauté sans doute emportait la balance[1],
Si je n'eusse opposé contre tous tes appas
Qu'un homme sans honneur ne te méritait pas,
Qu'après m'avoir chéri quand je vivais sans blâme[2]
900 Qui m'aima généreux, me haïrait infâme,
Qu'écouter ton amour, obéir à sa voix,
C'était m'en rendre indigne et diffamer[3] ton choix.
Je te le dis encore, et veux, tant que j'expire,
Sans cesse le penser et sans cesse le dire :
905 Je t'ai fait une offense, et j'ai dû m'y porter[4],
Pour effacer ma honte et pour te mériter.
Mais, quitte envers l'honneur, et quitte envers mon père,
C'est maintenant à toi que je viens satisfaire,
C'est pour t'offrir mon sang qu'en ce lieu tu me vois,
910 J'ai fait ce que j'ai dû, je fais ce que je dois.
Je sais qu'un père mort t'arme contre mon crime,
Je ne t'ai pas voulu dérober ta victime,
Immole[5] avec courage au sang qu'il[6] a perdu
Celui[7] qui met sa gloire à l'avoir répandu.

---

1. **Ta beauté sans doute emportait la balance** : ta beauté l'aurait sans doute emporté dans la balance.
2. **Blâme** : déshonneur.
3. **Diffamer** : rendre infâme.
4. **Porter** : résoudre.
5. **Immole** : sacrifie.
6. **Il** : le Comte.
7. **Celui** : Rodrigue.

CHIMÈNE

915 Ah Rodrigue ! il est vrai, quoique ton ennemie,
Je ne te puis blâmer d'avoir fui l'infamie,
Et de quelque façon qu'éclatent mes douleurs,
Je ne t'accuse point, je pleure mes malheurs.
Je sais ce que l'honneur, après un tel outrage,
920 Demandait à l'ardeur d'un généreux courage,
Tu n'as fait le devoir que d'un homme de bien ;
Mais aussi, le faisant, tu m'as appris le mien.
Ta funeste valeur m'instruit par ta victoire ;
Elle a vengé ton père et soutenu ta gloire,
925 Même soin[1] me regarde, et j'ai, pour m'affliger,
Ma gloire à soutenir, et mon père à venger.
Hélas ! ton intérêt[2] ici me désespère.
Si quelque autre malheur m'avait ravi mon père,
Mon âme aurait trouvé dans le bien[3] de te voir
930 L'unique allégement[4] qu'elle eût pu recevoir,
Et contre ma douleur j'aurais senti des charmes
Quand une main si chère eût essuyé mes larmes.
Mais il me faut te perdre après l'avoir perdu ;
Et pour mieux tourmenter mon esprit éperdu,
935 Avec tant de rigueur mon astre me domine,
Qu'il me faut travailler moi-même à ta ruine ;
Car enfin n'attends pas de mon affection
De lâches sentiments pour ta punition :
De quoi qu'en ta faveur notre amour m'entretienne
940 Ma générosité[5] doit répondre à la tienne,
Tu t'es en m'offensant montré digne de moi,
Je me dois par ta mort montrer digne de toi.

---

1. **Même soin me regarde** : j'ai la même préoccupation que toi.
2. **Ton intérêt** : l'intérêt que j'ai pour toi.
3. **Bien** : bonheur.
4. **Allégement** : soulagement.
5. **Générosité** : noblesse d'âme.

DON RODRIGUE

Ne diffère donc plus ce que l'honneur t'ordonne,
Il demande ma tête et je te l'abandonne,
945 Fais-en un sacrifice à ce noble intérêt[1],
Le coup m'en sera doux aussi bien que l'arrêt.
Attendre après mon crime une lente justice
C'est reculer ta gloire autant que mon supplice,
Je mourrai trop heureux mourant d'un coup si beau.

CHIMÈNE

950 Va, je suis ta partie[2], et non pas ton bourreau.
Si tu m'offres ta tête, est-ce à moi de la prendre?
Je la dois attaquer, mais tu dois la défendre,
C'est d'un autre que toi qu'il me faut l'obtenir
Et je dois te poursuivre et non pas te punir.

DON RODRIGUE

955 De quoi qu'en ma faveur notre amour t'entretienne,
Ta générosité doit répondre à la mienne.
Et pour venger un père emprunter d'autres bras,
Ma Chimène, crois-moi, c'est n'y répondre pas:
Ma main seule du mien a su venger l'offense,
960 Ta main seule du tien doit prendre la vengeance.

CHIMÈNE

Cruel, à quel propos sur ce point t'obstiner?
Tu t'es vengé sans aide et tu m'en veux donner!
Je suivrai ton exemple, et j'ai trop de courage
Pour souffrir qu'avec toi ma gloire se partage:
965 Mon père et mon honneur ne veulent rien devoir
Aux traits de ton amour, ni de ton désespoir.

---

1. **Noble intérêt** : honneur.
2. **Partie** : adversaire au tribunal.

DON RODRIGUE

Rigoureux point d'honneur ! hélas ! quoi que je fasse
Ne pourrai-je à la fin obtenir cette grâce ?
Au nom d'un père mort, ou de notre amitié[1],
970 Punis-moi par vengeance, ou du moins par pitié,
Ton malheureux amant aura bien moins de peine
À mourir par ta main, qu'à vivre avec ta haine.

CHIMÈNE

Va, je ne te hais point.

DON RODRIGUE

Tu le dois.

CHIMÈNE

Je ne puis.

DON RODRIGUE

Crains-tu si peu le blâme, et si peu les faux bruits[2] ?
975 Quand on saura mon crime et que ta flamme dure,
Que ne publieront point l'envie et l'imposture[3] ?
Force-les au silence, et sans plus discourir
Sauve ta renommée en me faisant mourir.

CHIMÈNE

Elle éclate bien mieux en te laissant en vie,
980 Et je veux que la voix de la plus noire envie
Élève au Ciel[4] ma gloire, et plaigne mes ennuis,
Sachant que je t'adore et que je te poursuis.

---

1. **Amitié** : amour.
2. **Faux bruits** : rumeurs.
3. **Que ne publieront point l'envie et l'imposture ?** : quelles rumeurs ne propageront pas les envieux et les menteurs ?
4. **Élève au ciel** : célèbre.

Va-t'en, ne montre plus à ma douleur extrême
Ce qu'il faut que je perde, encore que je l'aime,
985 Dans l'ombre de la nuit cache bien ton départ,
Si l'on te voit sortir, mon honneur court hasard[1],
La seule occasion qu'aura la médisance
C'est de savoir qu'ici j'ai souffert[2] ta présence,
Ne lui donne point lieu d'attaquer ma vertu.

DON RODRIGUE

990 Que je meure.

CHIMÈNE

Va-t'en.

DON RODRIGUE

À quoi te résous-tu ?

CHIMÈNE

Malgré des feux si beaux qui rompent ma colère,
Je ferai mon possible à bien venger mon père,
Mais malgré la rigueur d'un si cruel devoir,
Mon unique souhait est de ne rien pouvoir.

DON RODRIGUE

995 Ô miracle d'amour !

CHIMÈNE

Mais comble de misères.

DON RODRIGUE

Que de maux et de pleurs nous coûteront nos pères !

CHIMÈNE

Rodrigue, qui l'eût cru !

---

1. **Court hasard** : est en jeu.
2. **Souffert** : accepté.

DON RODRIGUE

Chimène, qui l'eût dit !

CHIMÈNE

Que notre heur fût si proche et si tôt se perdît !

DON RODRIGUE

Et que si près du port, contre toute apparence,
1000 Un orage si prompt brisât notre espérance !

CHIMÈNE

Ah, mortelles douleurs !

DON RODRIGUE

Ah, regrets superflus !

CHIMÈNE

Va-t'en, encore un coup, je ne t'écoute plus.

DON RODRIGUE

Adieu, je vais traîner une mourante vie,
Tant que[1] par ta poursuite elle me soit ravie.

CHIMÈNE

1005 Si j'en obtiens l'effet, je te donne ma foi[2]
De ne respirer pas un moment après toi.
Adieu, sors, et surtout garde bien qu'on te voie[3].

ELVIRE

Madame, quelques maux que le Ciel nous envoie…

---

1. **Tant que** : jusqu'à ce que.
2. **Si j'en obtiens l'effet, je te donne ma foi** : si j'obtiens ton châtiment, je te promets.
3. **Garde bien qu'on te voie** : fais attention que l'on ne te voie pas.

CHIMÈNE

Ne m'importune plus, laisse-moi soupirer,
1010 Je cherche le silence, et la nuit pour pleurer.

Scène 5

DON DIÈGUE, *seul.*

Jamais nous ne goûtons de parfaite allégresse,
Nos plus heureux succès sont mêlés de tristesse,
Toujours quelques soucis en ces événements
Troublent la pureté de nos contentements:
1015 Au milieu du bonheur mon âme en sent l'atteinte[1],
Je nage dans la joie et je tremble de crainte,
J'ai vu mort l'ennemi qui m'avait outragé,
Et je ne saurais voir la main qui m'a vengé,
En vain je m'y travaille et d'un soin inutile
1020 Tout cassé que je suis je cours toute la ville,
Si peu que mes vieux ans m'ont laissé de vigueur
Se consomme sans fruit à chercher ce vainqueur.
À toute heure, en tous lieux, dans une nuit si sombre,
Je pense l'embrasser[2], et n'embrasse qu'une ombre,
1025 Et mon amour, déçu par cet objet trompeur,
Se forme des soupçons qui redoublent ma peur,
Je ne découvre point de marques de sa fuite,
Je crains du Comte mort les amis et la suite[3];
Leur nombre m'épouvante et confond[4] ma raison,
1030 Rodrigue ne vit plus, ou respire en prison.

1. **En sent l'atteinte** : mon bonheur est troublé par ces soucis.
2. **Embrasser** : tenir dans mes bras.
3. **Suite** : entourage.
4. **Confond** : trouble.

Justes Cieux ! me trompé-je encore à l'apparence,
Ou si je vois enfin mon unique espérance ?
C'est lui, n'en doutons plus, mes vœux sont exaucés ;
Ma crainte est dissipée, et mes ennuis cessés.

Scène 6

DON DIÈGUE, DON RODRIGUE

DON DIÈGUE

1035 Rodrigue, enfin le Ciel permet que je te voie !

DON RODRIGUE

Hélas !

DON DIÈGUE

Ne mêle point de soupirs à ma joie ;
Laisse-moi prendre haleine afin de te louer,
Ma valeur n'a point lieu de te désavouer,
Tu l'as bien imitée, et ton illustre audace
1040 Fait bien revivre en toi les Héros de ma race ;
C'est d'eux que tu descends, c'est de moi que tu viens,
Ton premier coup d'épée égale tous les miens,
Et d'une belle ardeur ta jeunesse animée
Par cette grande épreuve atteint ma renommée.
1045 Appui de ma vieillesse, et comble de mon heur,
Touche ces cheveux blancs à qui tu rends l'honneur,
Viens baiser cette joue et reconnais la place
Où fut jadis l'affront que ton courage efface.

DON RODRIGUE

L'honneur vous en est dû, les Cieux me sont témoins
1050 Qu'étant sorti de vous je ne pouvais pas moins ;
Je me tiens trop heureux, et mon âme est ravie
Que mon coup d'essai plaise à qui je dois la vie.
Mais parmi vos plaisirs ne soyez point jaloux
Si j'ose satisfaire à moi-même après vous ;
1055 Souffrez qu'en liberté mon désespoir éclate,
Assez et trop longtemps votre discours le flatte,
Je ne me repens point de vous avoir servi,
Mais rendez-moi le bien que ce coup m'a ravi,
Mon bras pour vous venger armé contre ma flamme
1060 Par ce coup glorieux m'a privé de mon âme,
Ne me dites plus rien, pour vous j'ai tout perdu.
Ce que je vous devais, je vous l'ai bien rendu.

DON DIÈGUE

Porte encore plus haut le fruit de ta victoire.
Je t'ai donné la vie, et tu me rends ma gloire,
1065 Et d'autant que l'honneur m'est plus cher que le jour,
D'autant plus maintenant je te dois de retour.
Mais d'un si brave cœur éloigne ces faiblesses,
Nous n'avons qu'un honneur, il est tant de maîtresses ;
L'amour n'est qu'un plaisir, et l'honneur un devoir.

DON RODRIGUE

1070 Ah ! que me dites-vous ?

DON DIÈGUE

Ce que tu dois savoir.

DON RODRIGUE

Mon honneur offensé sur moi-même se venge,
Et vous m'osez pousser à la honte du change[1] !

1. **Change** : inconstance amoureuse.

L'infamie est pareille et suit également
Le guerrier sans courage et le perfide amant.
1075 À ma fidélité ne faites point d'injure,
Souffrez-moi généreux sans me rendre parjure[1],
Mes liens sont trop forts pour être ainsi rompus,
Ma foi m'engage encor si je n'espère plus,
Et ne pouvant quitter ni posséder Chimène,
1080 Le trépas que je cherche est ma plus douce peine.

DON DIÈGUE

Il n'est pas temps encor de chercher le trépas,
Ton Prince et ton pays ont besoin de ton bras.
La flotte qu'on craignait dans ce grand fleuve entrée
Vient surprendre la ville et piller la contrée,
1085 Les Mores vont descendre[2] et le flux[3] et la nuit
Dans une heure à nos murs les amène sans bruit,
La Cour est en désordre[4] et le peuple en alarmes,
On n'entend que des cris, on ne voit que des larmes:
Dans ce malheur public mon bonheur a permis
1090 Que j'aie trouvé chez moi cinq cents de mes amis,
Qui sachant mon affront poussés d'un même zèle
Venaient m'offrir leur vie à venger ma querelle[5].
Tu les as prévenus[6], mais leurs vaillantes mains
Se tremperont bien mieux au sang des Africains[7].
1095 Va marcher à leur tête où l'honneur te demande,
C'est toi que veut pour Chef leur généreuse bande:
De ces vieux ennemis va soutenir l'abord[8],
Là, si tu veux mourir, trouve une belle mort,

1. **Parjure** : traître.
2. **Descendre** : débarquer de leurs bateaux.
3. **Flux** : marée montante.
4. **En désordre** : en pleine agitation.
5. **Ma querelle** : la querelle que j'avais avec le Comte.
6. **Prévenus** : devancés.
7. **Africains** : Mores.
8. **Abord** : attaque.

Prends-en l'occasion puisqu'elle t'est offerte,
1100 Fais devoir à ton Roi[1] son salut à ta perte.
Mais reviens-en plutôt les palmes sur le front[2],
Ne borne pas ta gloire à venger un affront,
Pousse-la plus avant, force par ta vaillance
La justice au pardon et Chimène au silence ;
1105 Si tu l'aimes, apprends que retourner vainqueur
C'est l'unique moyen de regagner son cœur.
Mais le temps est trop cher pour le perdre en paroles,
Je t'arrête en discours[3] et je veux que tu voles,
Viens, suis-moi, va combattre, et montrer à ton Roi
1110 Que ce qu'il perd au Comte[4] il le recouvre en toi.

---

1. **Fais devoir à ton Roi** : fais en sorte que ton Roi doive.
2. **Les palmes sur le front** : plein de gloire.
3. **Je t'arrête en discours** : je te retiens en te parlant.
4. **Au Comte** : avec le Comte.

Arrêt sur lecture 3

Un quiz pour commencer

Cochez les bonnes réponses.

❶ *Que vient faire Rodrigue chez Chimène ?*

- ❒ La demander en mariage.
- ❒ Lui expliquer pourquoi il a tué le Comte.
- ❒ Lui demander de le tuer.

❷ *Où est Rodrigue pendant les scènes 2 et 3 ?*

- ❒ Chez Chimène, caché.
- ❒ Chez lui.
- ❒ Chez le roi pour justifier son acte.

❸ *Que propose don Sanche à Chimène ?*

- ❒ De tuer Rodrigue pour la venger.
- ❒ De l'épouser.
- ❒ De demander au roi de punir Rodrigue.

❹ *Quelle confidence Chimène fait-elle à Elvire ?*

❒ Elle a le projet de tuer Rodrigue elle-même.
❒ Elle aime encore Rodrigue.
❒ Elle a décidé d'épouser Don Sanche.

❺ *Que pense Chimène du fait que Rodrigue ait choisi de tuer le Comte ?*

❒ Qu'il n'avait pas le choix et devait sauver son honneur.
❒ Que l'honneur est une valeur dépassée.
❒ Que Rodrigue ne l'aime pas véritablement.

❻ *À quoi Chimène s'engage-t-elle lors de son entretien avec Rodrigue ?*

❒ À tout faire pour que Rodrigue meure, puis à se tuer.
❒ À renoncer à poursuivre Rodrigue.
❒ À tout faire pour que Rodrigue meure, puis à épouser don Sanche.

❼ *Pourquoi don Diègue est-il inquiet dans la scène 5 ?*

❒ Il craint que Chimène ne tue Rodrigue.
❒ Il craint que don Sanche ne tue Rodrigue.
❒ Il ne sait pas où se trouve Rodrigue et craint qu'un malheur ne lui soit arrivé.

❽ *Que conseille don Diègue à Rodrigue pour apaiser son chagrin ?*

❒ D'attendre que Chimène apaise sa douleur et revienne à lui.
❒ De se choisir lui-même une autre amante.
❒ D'épouser la fille d'un de ses amis.

❾ *Voyant son fils décidé à mourir, que lui propose don Diègue ?*

❒ De se faire tuer par Chimène.
❒ De se battre contre don Sanche et de le laisser gagner.
❒ D'aller se battre contre les Mores.

Des questions pour aller plus loin

Étudier le couple Chimène/Rodrigue

Rodrigue et Chimène, un couple ennemi

❶ Que propose don Sanche à Chimène ? Pourquoi accepte-t-elle sa proposition ?
❷ Où se situe la rencontre entre Chimène et Rodrigue ? Pourquoi la présence du meurtrier du Comte dans un tel lieu renforce-t-elle la colère de l'héroïne ?
❸ Que demande Rodrigue à Chimène ? En quoi cette demande contribue-t-elle à rendre la scène spectaculaire ?
❹ Avec quel objet Rodrigue se présente-t-il devant Chimène ? Quelle est la réaction de cette dernière ?
❺ À votre avis, pourquoi Corneille a-t-il attendu l'acte III pour que Chimène et Rodrigue se rencontrent ?
❻ Quel est le type de phrase dominant dans les répliques de Chimène au début de la scène 4 ? Quel sentiment Chimène manifeste-t-elle ?

Rodrigue et Chimène, un couple amoureux

❼ Dans la scène 3, quel aveu Chimène fait-elle à Elvire ? Où est Rodrigue à ce moment-là ?
❽ Chimène comprend-elle pourquoi Rodrigue a tué le Comte ? Relevez les vers qui vous ont permis de répondre.
❾ Dans la scène 4, relevez les répliques dans lesquelles Rodrigue et Chimène utilisent des formules qui se ressemblent. À votre avis, quelle est la fonction de ces échos ?
❿ Comment Chimène réagit-elle lorsque Rodrigue lui demande de le tuer ?

⓫ Relevez les deux vers où Chimène avoue explicitement son amour à Rodrigue. Comment comprenez-vous la déclaration de Chimène au vers 973 « Va, je ne te hais point » ?

Rodrigue et Chimène, un couple héroïque

⓬ Expliquez en quoi consiste le dilemme de Chimène dans la scène 4.
⓭ Que décide de faire Chimène malgré son amour pour Rodrigue ?
⓮ Rodrigue regrette-t-il ce qu'il a fait ? Citez le vers qui vous a permis de répondre.
⓯ Dans la scène 6, lorsque don Diègue comprend que son fils a décidé de mettre fin à ses jours, quelle proposition lui fait-il pour que sa mort reste héroïque ?
⓰ Dans les vers 1095 à 1110, relevez les termes qui appartiennent au champ lexical de la gloire. Quel sentiment don Diègue essaie-t-il d'éveiller chez son fils ?

Rappelez-vous !

L'acte III constitue une pause dans l'action. Il est consacré presque exclusivement au couple Rodrigue / Chimène. Les amants continuent à éprouver l'un pour l'autre une passion sans faille. Pourtant, ils défendent avant tout l'honneur de leur lignée, même si ce combat doit nuire à l'être aimé. Rodrigue ne regrette en rien d'avoir tué le Comte et est appelé à mettre sa valeur au service de la sécurité de l'État tandis que Chimène ne renonce pas à sacrifier Rodrigue pour venger son père.

De la lecture à l'écriture

Des mots pour mieux écrire

❶ ***Après avoir cherché le sens de ces mots dans le dictionnaire, trouvez pour chacun d'eux un mot de la même famille.***
Infamie, ardeur, rigoureux, médisance, magnanime.

❷ ***Complétez chacune des phrases suivantes avec le mot qui convient :*** trépas, langueur, remède, dessein, déplorable.

a. Depuis que son père est mort, Chimène est envahie d'une terrible _____________.
b. L'attitude peu respectueuse qu'il a eue à ton égard est ___________.
c. Parce qu'il ne supporte pas d'avoir meurtri Chimène, Rodrigue veut passer de vie à _____________.
d. Pour ne pas céder à son amour, Chimène adopte le _____________ de poursuivre Rodrigue en justice.
e. Pour Rodrigue, mourir de la main de Chimène constitue le seul _____________ acceptable.

À vous d'écrire

❶ Chimène décide de ne pas poursuivre Rodrigue et de laisser éclater au grand jour son amour pour lui. Imaginez une scène où elle avoue au roi et à sa suite qu'elle veut épouser Rodrigue.
Consigne. Dans votre texte, d'une quinzaine de lignes, vous devrez exprimer les sentiments contradictoires de Chimène en utilisant au moins trois mots de l'exercice ci-dessus.

❷ Dans l'acte III, Chimène a peur de la médisance des voisins qui verraient sortir de chez elle l'assassin de son père. Imaginez la réaction d'un voisin qui a observé la scène.
Consigne. Votre texte prendra la forme d'un monologue d'une quinzaine de lignes qui rendra compte de l'indignation du voisin face à ce qu'il vient de voir.

Du texte à l'image

➡ Clio van de Walle (Chimène) et Oliver Bénard (Rodrigue) dans *Le Cid*, mise en scène de Thomas Le Douarec, Théâtre Comedia, 2009.
(Image reproduite en fin d'ouvrage au verso de la couverture.)

Lire l'image

❶ Décrivez les postures de Rodrigue et de Chimène.
❷ Quel objet Chimène tient-elle dans la main ? Sa taille vous paraît-elle réaliste ?
❸ Quel acte Chimène s'apprête-t-elle à accomplir ? Paraît-elle résolue à le faire ?
❹ Décrivez les costumes des deux personnages. Vous semblent-ils correspondre à la mode vestimentaire du XVIIe siècle ?

Comparer le texte et l'image

❺ À quelle scène de l'acte III correspond cette photographie ? Quels détails vous ont permis de répondre ?
❻ Cette image vous paraît-elle représenter fidèlement le texte que vous avez lu ? Justifiez votre réponse.

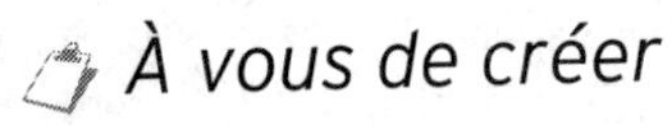

À vous de créer

❼ Avec un ou une camarade de votre classe, inventez votre propre mise en scène de la rencontre entre Rodrigue et Chimène.

Consigne. Vous imaginerez le décor, les costumes et vous choisirez les accessoires qui vous paraissent les plus adaptés. Vous jouerez ensuite la scène devant la classe.

ACTE IV

Scène 1

CHIMÈNE, ELVIRE

CHIMÈNE

N'est-ce point un faux bruit ? le sais-tu bien, Elvire ?

ELVIRE

Vous ne croiriez jamais comme chacun l'admire,
Et porte jusqu'au Ciel d'une commune voix
De ce jeune Héros les glorieux exploits.
1115 Les Mores devant lui n'ont paru qu'à leur honte[1],
Leur abord[2] fut bien prompt, leur fuite encor plus prompte,
Trois heures de combat laissent à nos guerriers
Une victoire entière et deux Rois prisonniers ;
La valeur de leur chef ne trouvait point d'obstacles.

CHIMÈNE

1120 Et la main de Rodrigue a fait tous ces miracles !

ELVIRE

De ses nobles efforts ces deux Rois sont le prix,
Sa main les a vaincus et sa main les a pris.

---

1. **N'ont paru qu'à leur honte** : se sont couverts de honte.
2. **Abord** : débarquement.

CHIMÈNE

De qui peux-tu savoir ces nouvelles étranges[1] ?

ELVIRE

Du peuple qui partout fait sonner ses louanges,
1125 Le nomme de sa joie, et l'objet, et l'auteur,
Son Ange tutélaire[2], et son libérateur.

CHIMÈNE

Et le Roi, de quel œil voit-il tant de vaillance ?

ELVIRE

Rodrigue n'ose encor paraître en sa présence,
Mais Don Diègue ravi lui présente enchaînés
1130 Au nom de ce vainqueur ces captifs couronnés[3],
Et demande pour grâce à ce généreux Prince[4]
Qu'il daigne voir la main qui sauve sa Province.

CHIMÈNE

Mais n'est-il point blessé ?

ELVIRE

Je n'en ai rien appris.
Vous changez de couleur, reprenez vos esprits.

CHIMÈNE

1135 Reprenons donc aussi ma colère affaiblie.
Pour avoir soin de lui faut-il que je m'oublie[5] ?
On le vante, on le loue et mon cœur y consent !
Mon honneur est muet, mon devoir impuissant !

---

1. **Étranges** : extraordinaires.
2. **Tutélaire** : gardien, protecteur.
3. **Ces captifs couronnés** : les rois mores que Rodrigue a capturés.
4. **Prince** : roi.
5. **Pour avoir soin de lui faut-il que je m'oublie ?** : faut-il que j'oublie ma vengeance pour me préoccuper de lui ?

Silence mon amour, laisse agir ma colère,
1140 S'il a vaincu deux Rois, il a tué mon père,
Ces tristes vêtements[1] où je lis mon malheur
Sont les premiers effets qu'ait produits sa valeur,
Et combien que[2] pour lui tout un peuple s'anime,
Ici tous les objets me parlent de son crime.
1145 Vous qui rendez la force à mes ressentiments,
Voile, crêpes[3], habits, lugubres ornements,
Pompe[4] où m'ensevelit sa première victoire,
Contre ma passion soutenez bien ma gloire
Et lorsque mon amour prendra trop de pouvoir,
1150 Parlez à mon esprit de mon triste devoir,
Attaquez sans rien craindre une main triomphante.

ELVIRE

Modérez ces transports, voici venir l'Infante.

Scène 2

L'INFANTE, CHIMÈNE, LÉONOR, ELVIRE

L'INFANTE

Je ne viens pas ici consoler tes douleurs,
Je viens plutôt mêler mes soupirs à tes pleurs.

CHIMÈNE

1155 Prenez bien plutôt part à la commune joie,
Et goûtez le bonheur que le Ciel vous envoie :

---

1. **Tristes vêtements** : vêtements de deuil.
2. **Combien que** : même si.
3. **Crêpes** : tissus que l'on porte en signe de deuil.
4. **Pompe** : ornements funèbres.

Madame, autre que moi[1] n'a droit de soupirer,
Le péril dont Rodrigue a su vous retirer,
Et le salut public que vous rendent ses armes
1160 À moi seule aujourd'hui permet encor les larmes ;
Il a sauvé la ville, il a servi son Roi,
Et son bras valeureux n'est funeste qu'à moi.

L'INFANTE

Ma Chimène, il est vrai qu'il a fait des merveilles.

CHIMÈNE

Déjà ce bruit fâcheux a frappé mes oreilles,
1165 Et je l'entends partout publier[2] hautement
Aussi brave guerrier que malheureux amant.

L'INFANTE

Qu'a de fâcheux pour toi ce discours populaire ?
Ce jeune Mars qu'il loue a su jadis te plaire,
Il possédait ton âme, il vivait sous tes lois,
1170 Et vanter sa valeur c'est honorer ton choix.

CHIMÈNE

J'accorde que chacun la[3] vante avec justice,
Mais pour moi sa louange[4] est un nouveau supplice,
On aigrit ma douleur en l'élevant si haut,
Je vois ce que je perds, quand je vois ce qu'il vaut.
1175 Ah cruels déplaisirs à l'esprit d'une amante[5] !
Plus j'apprends son mérite et plus mon feu s'augmente,
Cependant mon devoir est toujours le plus fort
Et malgré mon amour va poursuivre sa mort.

---

1. **Autre que moi** : personne d'autre que moi.
2. **Publier** : proclamer.
3. **La** : sa valeur.
4. **Sa louange** : l'éloge que l'on fait de lui.
5. **Amante** : femme amoureuse.

L'INFANTE

Hier ce devoir te mit en une haute estime,
1180 L'effort[1] que tu te fis parut si magnanime,
Si digne d'un grand cœur, que chacun à la Cour
Admirait ton courage et plaignait ton amour.
Mais croirais-tu l'avis d'une amitié fidèle ?

CHIMÈNE

Ne vous obéir pas me rendrait criminelle.

L'INFANTE

1185 Ce qui fut bon alors ne l'est plus aujourd'hui.
Rodrigue maintenant est notre unique appui,
L'espérance et l'amour d'un peuple qui l'adore,
Le soutien de Castille et la terreur du More,
Ses faits nous ont rendu ce qu'ils nous ont ôté,
1190 Et ton père en lui seul se voit ressuscité,
Et si tu veux enfin qu'en deux mots je m'explique,
Tu poursuis[2] en sa mort la ruine publique,
Quoi ? pour venger un père est-il jamais permis
De livrer sa patrie aux mains des ennemis ?
1195 Contre nous ta poursuite est-elle légitime ?
Et pour être punis avons-nous part au crime ?
Ce n'est pas qu'après tout tu doives épouser
Celui qu'un père mort t'obligeait d'accuser,
Je te voudrais moi-même en arracher l'envie ;
1200 Ôte-lui ton amour, mais laisse-nous sa vie.

CHIMÈNE

Ah ! Madame, souffrez qu'avecque liberté
Je pousse jusqu'au bout ma générosité.

1. **Effort** : violence.
2. **Poursuis** : recherches.

Quoique mon cœur pour lui contre moi s'intéresse,
Quoiqu'un peuple l'adore, et qu'un Roi le caresse[1],
1205 Qu'il soit environné des plus vaillants guerriers,
J'irai sous mes Cyprès[2] accabler ses lauriers.

L'Infante

C'est générosité, quand pour venger un père
Notre devoir attaque une tête si chère :
Mais c'en est une encor d'un plus illustre rang,
1210 Quand on donne au public les intérêts du sang[3].
Non, crois-moi, c'est assez que d'éteindre ta flamme,
Il sera trop puni s'il n'est plus dans ton âme ;
Que le bien du pays t'impose cette loi ;
Aussi bien, que crois-tu que t'accorde le Roi ?

Chimène

1215 Il peut me refuser, mais je ne me puis taire.

L'Infante

Pense bien, ma Chimène, à ce que tu veux faire.
Adieu, tu pourras seule y songer à loisir.

Chimène

Après mon père mort je n'ai point à choisir.

---

1. **Caresse** : flatte.
2. **Cyprès** : arbre qui est souvent planté dans les cimetières.
3. **Quand on donne au public les intérêts du sang** : quand on sacrifie au public ses intérêts personnels.

Scène 3

LE ROI, DON DIÈGUE, DON ARIAS,
DON RODRIGUE, DON SANCHE

LE ROI

Généreux héritier d'une illustre famille
1220 Qui fut toujours la gloire et l'appui de Castille,
Race de tant d'aïeux en valeur signalés[1]
Que l'essai de la tienne a si tôt égalés,
Pour te récompenser ma force est trop petite,
Et j'ai moins de pouvoir que tu n'as de mérite.
1225 Le pays délivré d'un si rude ennemi,
Mon sceptre[2] dans ma main par la tienne affermi,
Et les Mores défaits avant qu'en ces alarmes
J'eusse pu donner ordre à[3] repousser leurs armes,
Ne sont point des exploits qui laissent à ton Roi
1230 Le moyen ni l'espoir de s'acquitter vers[4] toi.
Mais deux Rois, tes captifs, feront ta récompense,
Ils t'ont nommé tous deux leur Cid[5] en ma présence,
Puisque Cid en leur langue est autant que Seigneur,
Je ne t'envierai[6] pas ce beau titre d'honneur.
1235 Sois désormais le Cid, qu'à ce grand nom tout cède,
Qu'il devienne l'effroi de Grenade et Tolède[7],
Et qu'il marque[8] à tous ceux qui vivent sous mes lois
Et ce que tu me vaux[9] et ce que je te dois.

---

1. **En valeur signalés** : qui se sont fait remarquer par leur valeur.
2. **Sceptre** : symbole de la royauté.
3. **À** : de.
4. **Vers** : envers.
5. **Cid** : seigneur, chef (de l'arabe *sidi*).
6. **Envierai** : refuserai.
7. **Grenade et Tolède** : villes espagnoles contrôlées par les Mores.
8. **Marque** : montre.
9. **Ce que tu me vaux** : ce que tu vaux pour moi.

DON RODRIGUE

Que Votre Majesté, Sire, épargne ma honte[1],
1240 D'un si faible service elle fait trop de compte[2],
Et me force à rougir devant un si grand Roi
De mériter si peu l'honneur que j'en reçois.
Je sais trop que je dois au bien de votre Empire
Et le sang qui m'anime et l'air que je respire,
1245 Et quand je les perdrai pour un si digne objet[3],
Je ferai seulement le devoir d'un sujet.

LE ROI

Tous ceux que ce devoir à mon service engage
Ne s'en acquittent pas avec même courage,
Et lorsque la valeur ne va point dans l'excès,
1250 Elle ne produit point de si rares succès.
Souffre[4] donc qu'on te loue, et de cette victoire
Apprends-moi plus au long[5] la véritable histoire.

DON RODRIGUE

Sire, vous avez su qu'en ce danger pressant
Qui jeta dans la ville un effroi si puissant,
1255 Une troupe d'amis chez mon père assemblée
Sollicita mon âme encor toute troublée.
Mais, Sire, pardonnez à ma témérité[6],
Si j'osai l'employer sans votre autorité[7] ;
Le péril approchait, leur brigade était prête,
1260 Et paraître à la Cour eût hasardé ma tête[8],

---

1. **Honte** : modestie.
2. **Fait trop de compte** : attache trop d'importance.
3. **Un si digne objet** : le bien de l'Empire.
4. **Souffre** : accepte.
5. **Plus au long** : plus en détails.
6. **Témérité** : audace.
7. **Sans votre autorité** : sans que vous m'ayez donné d'ordre.
8. **Paraître à la Cour eût hasardé ma tête** : en paraissant à la Cour, j'aurais risqué ma tête.

Qu'à défendre l'État j'aimais bien mieux donner,
Qu'aux plaintes de Chimène ainsi l'abandonner.

LE ROI

J'excuse ta chaleur à venger ton offense,
Et l'État défendu[1] me parle en ta défense :
1265 Crois que dorénavant Chimène a beau parler,
Je ne l'écoute plus que pour la consoler.
Mais poursuis.

DON RODRIGUE

Sous moi donc cette troupe s'avance,
Et porte sur le front une mâle assurance :
Nous partîmes cinq cents, mais par un prompt renfort,
1270 Nous nous vîmes trois mille en arrivant au port,
Tant à nous voir marcher en si bon équipage
Les plus épouvantés reprenaient de courage.
J'en[2] cache les deux tiers, aussitôt qu'arrivés,
Dans le fond des vaisseaux qui lors[3] furent trouvés :
1275 Le reste, dont le nombre augmentait à toute heure,
Brûlant d'impatience autour de moi demeure,
Se couche contre terre, et sans faire aucun bruit,
Passe une bonne part d'une si belle nuit.
Par mon commandement la garde en fait de même,
1280 Et se tenant cachée aide à mon stratagème,
Et je feins hardiment d'avoir reçu de vous
L'ordre qu'on me voit suivre, et que je donne à tous.
Cette obscure clarté qui tombe des étoiles
Enfin avec le flux nous fit voir trente voiles ;
1285 L'onde s'enflait dessous, et d'un commun effort
Les Mores, et la mer entrèrent dans le port.

---

1. **L'État défendu** : le fait que tu as défendu l'État.
2. **En** : de cette troupe.
3. **Lors** : alors.

On les laisse passer, tout leur paraît tranquille,
Point de soldats au port, point aux murs de la ville,
Notre profond silence abusant[1] leurs esprits
1290 Ils n'osent plus douter de nous avoir surpris,
Ils abordent sans peur, ils ancrent[2], ils descendent
Et courent se livrer aux mains qui les attendent :
Nous nous levons alors et tous en même temps
Poussons jusques au Ciel mille cris éclatants,
1295 Les nôtres au signal de nos vaisseaux répondent,
Ils paraissent armés, les Mores se confondent[3],
L'épouvante les prend à demi descendus[4],
Avant que de combattre ils s'estiment perdus,
Ils couraient au pillage, et rencontrent la guerre,
1300 Nous les pressons[5] sur l'eau, nous les pressons sur terre
Et nous faisons courir des ruisseaux de leur sang
Avant qu'aucun résiste, ou reprenne son rang.
Mais bientôt malgré nous leurs Princes les rallient[6],
Leur courage renaît, et leurs terreurs s'oublient,
1305 La honte de mourir sans avoir combattu
Rétablit leur désordre, et leur rend leur vertu :
Contre nous de pied ferme ils tirent les épées,
Des plus braves soldats les trames sont coupées[7],
Et la terre, et le fleuve, et leur flotte, et le port
1310 Sont des champs de carnage où triomphe la mort.
Ô combien d'actions, combien d'exploits célèbres
Furent ensevelis dans l'horreur des ténèbres,

---

1. **Abusant** : trompant.
2. **Ancrent** : jettent l'ancre de leurs bateaux.
3. **Se confondent** : se mêlent en désordre.
4. **À demi descendus** : alors qu'ils sont à peine descendus de leurs bateaux.
5. **Pressons** : attaquons avec force.
6. **Rallient** : rassemblent.
7. **Les trames sont coupées** : les vies sont ôtées.

Où chacun seul témoin des grands coups qu'il donnait,
Ne pouvait discerner où le sort inclinait[1] !
1315 J'allais de tous côtés encourager les nôtres,
Faire avancer les uns, et soutenir les autres,
Ranger ceux qui venaient, les pousser à leur tour,
Et n'en pus rien savoir jusques au point du jour.
Mais enfin sa clarté montra notre avantage,
1320 Le More vit sa perte et perdit le courage,
Et voyant un renfort qui nous vint secourir
Changea l'ardeur de vaincre à la peur de mourir.
Ils gagnent leurs vaisseaux, ils en coupent les chables[2],
Nous laissent pour Adieux des cris épouvantables,
1325 Font retraite en tumulte, et sans considérer[3]
Si leurs Rois avec eux ont pu se retirer.
Ainsi leur devoir cède à la frayeur plus forte,
Le flux les apporta, le reflux les remporte,
Cependant que leurs Rois engagés parmi nous,
1330 Et quelque peu des leurs tous percés de nos coups,
Disputent vaillamment et vendent bien leur vie.
À se rendre moi-même en vain je les convie,
Le cimeterre[4] au poing ils ne m'écoutent pas ;
Mais voyant à leurs pieds tomber tous leurs soldats,
1335 Et que seuls désormais en vain ils se défendent,
Ils demandent le Chef, je me nomme, ils se rendent,
Je vous les envoyai tous deux[5] en même temps,
Et le combat cessa faute de combattants.
C'est de cette façon que pour votre service…

1. **Où le sort inclinait** : qui était vainqueur.
2. **Chables** : ancienne forme de « câbles ».
3. **Considérer** : vérifier.
4. **Cimeterre** : sabre oriental.
5. **Tous deux** : les deux rois qui se sont rendus.

Scène 4

Le Roi, Don Diègue, Don Rodrigue,
Don Arias, Don Alonse, Don Sanche

Don Alonse

1340 Sire, Chimène vient vous demander Justice.

Le Roi

La fâcheuse nouvelle, et l'importun devoir!
Va, je ne la veux pas obliger à te voir,
Pour tous remerciements il faut que je te chasse:
Mais avant que sortir, viens que ton Roi t'embrasse.

Don Rodrigue rentre.

Don Diègue

1345 Chimène le poursuit, et voudrait le sauver.

Le Roi

On m'a dit qu'elle l'aime, et je vais l'éprouver[1],
Contrefaites le triste[2].

Scène 5

Le Roi, Don Diègue, Don Arias, Don Sanche,
Don Alonse, Chimène, Elvire

Le Roi

Enfin soyez contente,
Chimène, le succès répond à votre attente:

1. **L'éprouver** : mettre à l'épreuve son amour.
2. **Contrefaites le triste** : faites semblant d'être triste.

Si de nos ennemis Rodrigue a le dessus,
1350 Il est mort à nos yeux des coups qu'il a reçus,
Rendez grâces au Ciel qui vous en a vengée.
Voyez comme déjà sa couleur est changée.

DON DIÈGUE

Mais voyez qu'elle pâme[1], et d'un amour parfait
Dans cette pâmoison, Sire, admirez l'effet,
1355 Sa douleur a trahi les secrets de son âme
Et ne vous permet plus de douter de sa flamme.

CHIMÈNE

Quoi? Rodrigue est donc mort?

LE ROI

Non, non, il voit le jour,
Et te conserve encore un immuable[2] amour,
Tu le posséderas, reprends ton allégresse.

CHIMÈNE

1360 Sire, on pâme de joie ainsi que de tristesse,
Un excès de plaisir nous rend tous languissants[3],
Et quand il surprend l'âme, il accable les sens.

LE ROI

Tu veux qu'en ta faveur[4] nous croyions l'impossible,
Ta tristesse, Chimène, a paru trop visible.

CHIMÈNE

1365 Eh bien, Sire, ajoutez ce comble à mes malheurs,
Nommez ma pâmoison l'effet de mes douleurs,

---

1. **Pâme** : s'évanouit (**pâmoison** : évanouissement).
2. **Immuable** : qui ne changera jamais.
3. **Languissants** : faibles, sans force.
4. **En ta faveur** : pour te plaire.

Un juste déplaisir à ce point m'a réduite,
Son trépas dérobait sa tête à ma poursuite[1];
S'il meurt des coups reçus pour le bien du pays,
1370 Ma vengeance est perdue et mes desseins trahis.
Une si belle fin m'est trop injurieuse,
Je demande sa mort, mais non pas glorieuse,
Non pas dans un éclat qui l'élève si haut,
Non pas au lit d'honneur, mais sur un échafaud.
1375 Qu'il meure pour mon père, et non pour la patrie,
Que son nom soit taché, sa mémoire flétrie;
Mourir pour le pays n'est pas un triste sort,
C'est s'immortaliser par une belle mort.
J'aime donc sa victoire, et je le puis sans crime,
1380 Elle assure[2] l'État, et me rend ma victime,
Mais noble, mais fameuse entre tous les guerriers,
Le chef au lieu de fleurs[3] couronné de lauriers,
Et pour dire en un mot ce que j'en considère,
Digne d'être immolée[4] aux Mânes[5] de mon père:
1385 Hélas! à quel espoir me laissé-je emporter!
Rodrigue de ma part n'a rien à redouter:
Que pourraient contre lui des larmes qu'on méprise?
Pour lui tout votre Empire est un lieu de franchise[6],
Là sous votre pouvoir tout lui devient permis,
1390 Il triomphe de moi, comme des ennemis,
Dans leur sang épandu[7] la justice étouffée,
Aux crimes du vainqueur sert d'un nouveau trophée,

1. **Son trépas dérobait sa tête à ma poursuite** : sa mort m'empêchait de le poursuivre en justice.
2. **Assure** : renforce.
3. **Fleurs** : fleurs qui ornent la tête des personnes qui vont mourir.
4. **Immolée** : sacrifiée.
5. **Mânes** : dans la mythologie romaine, âmes des morts.
6. **Franchise** : liberté.
7. **Épandu** : répandu.

Nous en croissons la pompe[1] et le mépris des lois
Nous fait suivre son char[2] au milieu de deux Rois.

LE ROI

1395 Ma fille, ces transports ont trop de violence.
Quand on rend la justice, on met tout en balance[3] :
On a tué ton père, il était l'agresseur,
Et la même équité m'ordonne la douceur.
Avant que d'accuser ce que j'en fais paraître[4],
1400 Consulte bien ton cœur, Rodrigue en est le maître,
Et ta flamme en secret rend grâces à ton Roi
Dont la faveur conserve un tel amant pour toi.

CHIMÈNE

Pour moi mon ennemi ! l'objet de ma colère !
L'auteur de mes malheurs ! l'assassin de mon père !
1405 De ma juste poursuite on fait si peu de cas
Qu'on me croit obliger[5] en ne m'écoutant pas !
Puisque vous refusez la justice à mes larmes,
Sire, permettez-moi de recourir aux armes,
C'est par là seulement qu'il a su m'outrager,
1410 Et c'est aussi par là que je me dois venger.
À tous vos Chevaliers je demande sa tête.
Oui, qu'un d'eux me l'apporte, et je suis sa conquête,
Qu'ils le combattent, Sire, et le combat fini,
J'épouse le vainqueur si Rodrigue est puni.
1415 Sous votre autorité souffrez qu'on le publie.

LE ROI

Cette vieille coutume[6] en ces lieux établie,

---

1. **Nous en croissons la pompe** : nous accroissons son triomphe.
2. **Nous fait suivre son char** : dans l'Antiquité romaine, les héros victorieux faisaient une parade en char, suivis de ceux qu'ils avaient capturés.
3. **On met tout en balance** : on est mesuré.
4. **Ce que j'en fais paraître** : mon indulgence.
5. **Qu'on me croit obliger** : qu'on croit me faire plaisir.
6. **Cette vieille coutume** : il s'agit du duel d'honneur.

Sous couleur de[1] punir un injuste attentat,
Des meilleurs combattants affaiblit un État.
Souvent de cet abus le succès déplorable
1420 Opprime l'innocent et soutient le coupable.
J'en dispense Rodrigue, il m'est trop précieux
Pour l'exposer aux coups d'un sort capricieux,
Et quoi qu'ait pu commettre un cœur si magnanime
Les Mores en fuyant ont emporté son crime.

Don Diègue

1425 Quoi, Sire ! pour lui seul vous renversez des lois
Qu'a vu toute la Cour observer tant de fois !
Que croira votre peuple et que dira l'envie
Si sous votre défense il ménage sa vie,
Et s'en sert d'un prétexte à ne paraître pas
1430 Où tous les gens d'honneur cherchent un beau trépas ?
Sire, ôtez ces faveurs qui terniraient sa gloire,
Qu'il goûte sans rougir les fruits de sa victoire,
Le Comte eut de l'audace, il l'en a su punir,
Il l'a fait en brave homme, et le doit soutenir[2].

Le Roi

1435 Puisque vous le voulez j'accorde qu'il le fasse,
Mais d'un guerrier vaincu mille prendraient la place,
Et le prix que Chimène au vainqueur a promis
De tous mes Chevaliers ferait ses ennemis :
L'opposer seul à tous serait trop d'injustice,
1440 Il suffit qu'une fois il entre dans la lice[3] :
Choisis qui tu voudras, Chimène, et choisis bien,
Mais après ce combat ne demande plus rien.

---

1. **Sous couleur de** : sous prétexte de.
2. **Le doit soutenir** : doit rester brave.
3. **Entre dans la lice** : s'engage dans le combat.

Don Diègue

N'excusez point par là ceux que son bras étonne[1],
Laissez un camp ouvert où n'entrera personne.
1445 Après ce que Rodrigue a fait voir aujourd'hui,
Quel courage assez vain[2] s'oserait prendre à lui ?
Qui se hasarderait contre un tel adversaire ?
Qui serait ce vaillant, ou bien ce téméraire ?

Don Sanche

Faites ouvrir le camp, vous voyez l'assaillant,
1450 Je suis ce téméraire, ou plutôt ce vaillant.
Accordez cette grâce à l'ardeur qui me presse,
Madame, vous savez quelle est votre promesse.

Le Roi

Chimène, remets-tu ta querelle en sa main ?

Chimène

Sire, je l'ai promis.

Le Roi

Soyez prêt à demain.

Don Diègue

1455 Non, Sire, il ne faut pas différer davantage,
On est toujours trop prêt quand on a du courage.

Le Roi

Sortir d'une bataille et combattre à l'instant !

Don Diègue

Rodrigue a pris haleine[3] en vous la racontant.

---

1. **Étonne** : épouvante.
2. **Vain** : vaniteux, orgueilleux.
3. **Pris haleine** : repris son souffle.

LE ROI

Du moins, une heure, ou deux, je veux qu'il se délasse.
1460 Mais de peur qu'en exemple un tel combat ne passe[1],
Pour témoigner à tous qu'à regret je permets
Un sanglant procédé qui ne me plut jamais,
De moi, ni de ma Cour il n'aura la présence.

Il parle à Don Arias.

Vous seul des combattants jugerez la vaillance:
1465 Ayez soin que tous deux fassent en gens de cœur,
Et le combat fini m'amenez[2] le vainqueur.
Quel qu'il soit, même prix est acquis à sa peine,
Je le veux de ma main présenter à Chimène,
Et que pour récompense il reçoive sa foi[3].

CHIMÈNE

1470 Sire, c'est me donner une trop dure loi.

LE ROI

Tu t'en plains, mais ton feu loin d'avouer[4] ta plainte,
Si Rodrigue est vainqueur, l'accepte sans contrainte.
Cesse de murmurer contre un arrêt[5] si doux:
Qui que ce soit des deux, j'en ferai ton époux.

---

1. **Qu'en exemple un tel combat ne passe** : qu'un tel combat soit brandi en exemple.
2. **M'amenez** : amenez-moi.
3. **Foi** : promesse de mariage.
4. **Avouer** : approuver.
5. **Arrêt** : décision.

Arrêt sur lecture 4

Un quiz pour commencer

Cochez les bonnes réponses.

❶ *Combien de temps s'est-il écoulé entre l'acte III et l'acte IV ?*

- ❒ Une nuit.
- ❒ Une semaine.
- ❒ Un mois.

❷ *Quelle rumeur Elvire rapporte-t-elle à Chimène ?*

- ❒ Rodrigue s'est fait tuer par le chef des Mores.
- ❒ Rodrigue s'apprête à épouser l'Infante.
- ❒ Rodrigue a vaincu les Mores.

❸ *Comment Chimène réagit-elle face au récit des exploits de Rodrigue ?*

- ❒ Elle cède à l'admiration, puis reprend le masque de la colère.
- ❒ Elle est en colère et se sent trahie.
- ❒ Elle est tellement admirative qu'elle renonce à le poursuivre.

❹ ***Quelle caractéristique de Rodrigue apparaît comme la plus importante dans le discours du roi ?***

- ❒ Il est celui qui a sauvé l'État en repoussant l'ennemi.
- ❒ Il est le meurtrier d'un grand du royaume.
- ❒ Il est le fils d'un héros national.

❺ ***Après les exploits de Rodrigue, quelle attitude le roi décide-t-il d'adopter face aux plaintes de Chimène ?***

- ❒ D'accepter de punir Rodrigue pour le meurtre du Comte.
- ❒ De l'écouter dans l'unique but de la consoler.
- ❒ De ne plus l'écouter parler.

❻ ***Quelle est la stratégie de Rodrigue pour vaincre ses ennemis ?***

- ❒ Se cacher une partie de la nuit et les prendre par surprise.
- ❒ Demander de l'aide aux armées amies de son royaume.
- ❒ Voler les armes de ses ennemis pendant qu'ils dorment.

❼ ***Pour éprouver l'amour de Chimène, quelle nouvelle le roi annonce-t-il à la fin de l'acte IV ?***

- ❒ La mort de Rodrigue.
- ❒ Sa décision de ne pas punir Rodrigue.
- ❒ Les exploits de Rodrigue.

❽ ***Comment Chimène réagit-elle à l'annonce de la mort de Rodrigue ?***

- ❒ Elle s'évanouit.
- ❒ Elle se met à pleurer.
- ❒ Elle ne montre aucune émotion.

❾ ***Que demande Chimène au roi ?***

- ❒ D'exiler Rodrigue.
- ❒ De condamner Rodrigue à mort.
- ❒ D'organiser un duel entre don Sanche et Rodrigue.

Des questions pour aller plus loin

Analyser les exploits de Rodrigue

Le combat contre les Mores

❶ Qui raconte le combat contre les Mores ?
❷ Pour quelles raisons ce combat n'est-il pas représenté sur scène ?
❸ Distinguez les quatre ou cinq moments du combat contre les Mores et donnez-leur un titre.
❹ Dans son récit, Rodrigue fait l'éloge de ses adversaires. Relevez les termes élogieux qu'il emploie.
❺ Dans le récit du combat contre les Mores, quel est le temps verbal le plus employé ? Quelle est sa valeur ?

De Rodrigue au Cid

❻ En vous aidant d'un dictionnaire, trouvez l'origine du mot et le sens du mot « Cid » ? Dans la scène 3, qui désigne ainsi Rodrigue pour la première fois ?
❼ Qui parle le plus dans la scène 3 ? Pourquoi ?
❽ Pourquoi le roi est-il désormais redevable à Rodrigue ?
❾ Relevez le champ lexical de la gloire dans la scène 3.

Un héros admiré de tous ?

❿ Lorsque Elvire apprend à Chimène les exploits de Rodrigue, quelle est sa première réaction ? et ensuite ?
⓫ Relevez dans les vers 1185 à 1200 (p. 99) les expressions qui témoignent de l'admiration que l'Infante voue à Rodrigue.
⓬ Relevez les répliques du roi montrant qu'il est définitivement acquis à la cause de Rodrigue dans l'affaire qui l'oppose à Chimène.

⓭ Montrez que, dans cet acte, Chimène apparaît déterminée dans sa volonté de poursuivre Rodrigue. Quel est son seul allié ?
⓮ Pourquoi don Fernand annonce-t-il à Chimène que Rodrigue est mort ? Chimène a-t-elle la réaction attendue ?
⓯ Lorsqu'elle comprend que Rodrigue n'est pas mort, quel sentiment manifeste Chimène ? Est-elle vraiment sincère ?
⓰ Dans la scène 5, relevez les périphrases utilisées par Chimène pour désigner Rodrigue. Sur quel aspect du personnage insistent-elles ?

Rappelez-vous !
L'acte IV est celui de la transformation de Rodrigue en Cid. Alors qu'il n'était jusqu'alors que le fils d'un père illustre, il devient lui-même un héros national, appelé à un avenir glorieux. Chimène, de son côté, reste décidée à venger son père, malgré son admiration grandissante pour Rodrigue. Elle ne peut plus désormais compter que sur le soutien de don Sanche dans ce dessein.

De la lecture à l'écriture

Des mots pour mieux écrire

❶ ***Retrouvez le radical de « générosité » dans un dictionnaire. Précisez le sens de ce nom au XVIIe siècle et donnez ensuite deux mots de la même famille.***

❷ ***Cherchez dans le dictionnaire le sens des mots suivants :***
cimeterre, stratagème, tumulte, pâmoison, équité.

❸ ***Complétez chacune des phrases suivantes avec le mot de la liste ci-contre qui convient.***

a. Les cris des Mores et le bruit de leurs armes créent un _____________ assourdissant.
b. À l'annonce de la mort de Rodrigue, Chimène est tombée en _____________.
c. En ne se prononçant ni pour Rodrigue, ni pour Chimène, don Fernand a voulu montrer son _____________.
d. Les rois mores brandissent leur _____________ pour attaquer Rodrigue et ses compagnons.
e. Rodrigue a utilisé un _____________ pour prendre les Mores par surprise.

À vous d'écrire

❶ Un More a miraculeusement échappé à l'assaut de Rodrigue et de son armée. Imaginez qu'il rende compte de ce combat à ses supérieurs.
Consigne. Votre texte, d'une quinzaine de lignes, prendra la forme d'un dialogue entre le rescapé more et son supérieur. Le rescapé du combat devra à la fois témoigner de son impuissance face à l'assaut de ses adversaires et de son admiration pour leur chef, Rodrigue.

❷ Un journal décide de dresser un portrait du nouveau héros national, Rodrigue.
Consigne. Votre article, d'une quinzaine de lignes, comprendra un titre. Vous devrez faire une description du héros qui rende compte de sa « générosité » dans les différents exploits qu'il a accomplis.

ACTE V

Scène 1

DON RODRIGUE, CHIMÈNE

CHIMÈNE

1475 Quoi, Rodrigue, en plein jour ! d'où te vient cette audace ?
Va, tu me perds d'honneur[1], retire-toi, de grâce.

DON RODRIGUE

Je vais mourir, Madame, et vous viens en ce lieu,
Avant le coup mortel, dire un dernier Adieu,
Mon amour vous le doit, et mon cœur qui soupire
1480 N'ose sans votre aveu[2] sortir de votre Empire.

CHIMÈNE

Tu vas mourir !

DON RODRIGUE

J'y cours, et le Comte est vengé,
Aussitôt que de vous j'en aurai le congé[3].

---

1. **Tu me perds d'honneur** : tu me déshonores.
2. **Aveu** : accord.
3. **Congé** : autorisation.

CHIMÈNE

Tu vas mourir ! Don Sanche est-il si redoutable,
Qu'il donne l'épouvante à ce cœur indomptable ?
1485 Qui t'a rendu si faible, ou qui le rend si fort ?
Rodrigue va combattre, et se croit déjà mort !
Celui qui n'a pas craint les Mores, ni mon père,
Va combattre Don Sanche et déjà désespère[1] !
Ainsi donc au besoin[2] ton courage s'abat ?

DON RODRIGUE

1490 Je cours à mon supplice, et non pas au combat,
Et ma fidèle ardeur[3] sait bien m'ôter l'envie,
Quand vous cherchez ma mort, de défendre ma vie.
J'ai toujours même cœur, mais je n'ai point de bras
Quand il faut conserver ce qui ne vous plaît pas,
1495 Et déjà cette nuit m'aurait été mortelle
Si j'eusse combattu pour ma seule querelle :
Mais défendant mon Roi, son peuple, et le pays,
À me défendre mal je les aurais trahis,
Mon esprit généreux ne hait pas tant la vie
1500 Qu'il en veuille sortir par une perfidie[4].
Maintenant qu'il s'agit de mon seul intérêt,
Vous demandez ma mort, j'en accepte l'arrêt ;
Votre ressentiment choisit la main d'un autre,
Je ne méritais pas de mourir de la vôtre ;
1505 On ne me verra point en repousser les coups,
Je dois plus de respect à qui combat pour vous,
Et ravi de penser que c'est de vous qu'ils viennent,
Puisque c'est votre honneur que ses armes soutiennent,

---

1. **Désespère** : n'a aucun espoir de gagner.
2. **Au besoin** : lorsque tu as besoin de courage.
3. **Ardeur** : amour.
4. **Perfidie** : trahison.

Je lui vais présenter mon estomac[1] ouvert,
1510 Adorant en sa main la vôtre qui me perd.

CHIMÈNE

Si d'un triste devoir la juste violence,
Qui me fait malgré moi poursuivre ta vaillance,
Prescrit à ton amour une si forte loi
Qu'il te rend sans défense à qui combat pour moi,
1515 En cet aveuglement ne perds pas la mémoire,
Qu'ainsi que de ta vie, il y va de ta gloire,
Et que dans quelque éclat que Rodrigue ait vécu
Quand on le saura mort, on le croira vaincu.
L'honneur te fut plus cher que je ne te suis chère,
1520 Puisqu'il trempa tes mains dans le sang de mon père,
Et te fit renoncer malgré ta passion,
À l'espoir le plus doux de ma possession :
Je t'en vois cependant faire si peu de compte
Que sans rendre combat tu veux qu'on te surmonte[2].
1525 Quelle inégalité ravale ta vertu ?
Pourquoi ne l'as-tu plus, ou pourquoi l'avais-tu ?
Quoi ? n'es-tu généreux que pour me faire outrage ?
S'il ne faut m'offenser n'as-tu point de courage ?
Et traites-tu mon père avec tant de rigueur
1530 Qu'après l'avoir vaincu tu souffres un vainqueur ?
Non, sans vouloir mourir, laisse-moi te poursuivre,
Et défends ton honneur si tu ne veux plus vivre.

DON RODRIGUE

Après la mort du Comte, et les Mores défaits[3],
Mon honneur appuyé sur de si grands effets[4]

---

1. **Estomac ouvert** : poitrine découverte.
2. **Qu'on te surmonte** : qu'on l'emporte sur toi.
3. **Défaits** : battus.
4. **Effets** : preuves.

1535 Contre un autre ennemi n'a plus à se défendre :
On sait que mon courage ose tout entreprendre,
Que ma valeur peut tout, et que dessous les Cieux,
Quand mon honneur y va[1], rien ne m'est précieux.
Non, non, en ce combat, quoi que vous veuilliez croire,
1540 Rodrigue peut mourir sans hasarder sa gloire,
Sans qu'on l'ose accuser d'avoir manqué de cœur,
Sans passer pour vaincu, sans souffrir un vainqueur.
On dira seulement : « Il adorait Chimène,
Il n'a pas voulu vivre et mériter sa haine,
1545 Il a cédé lui-même à la rigueur du sort
Qui forçait sa maîtresse à poursuivre sa mort,
Elle voulait sa tête, et son cœur magnanime
S'il l'en eût refusée[2] eût pensé faire un crime :
Pour venger son honneur il perdit son amour,
1550 Pour venger sa maîtresse il a quitté le jour,
Préférant (quelque espoir qu'eût son âme asservie)
Son honneur à Chimène, et Chimène à sa vie. »
Ainsi donc vous verrez ma mort en ce combat
Loin d'obscurcir ma gloire en rehausser l'éclat,
1555 Et cet honneur suivra mon trépas volontaire,
Que tout autre que moi n'eût pu vous satisfaire.

CHIMÈNE

Puisque pour t'empêcher de courir au trépas
Ta vie et ton honneur sont de faibles appas,
Si jamais je t'aimai, cher Rodrigue, en revanche,
1560 Défends-toi maintenant pour m'ôter à Don Sanche,
Combats pour m'affranchir d'une condition
Qui me livre à l'objet de mon aversion[3].
Te dirai-je encor plus ? va, songe à ta défense,
Pour forcer mon devoir, pour m'imposer silence,

---

1. **Y va** : est en jeu.
2. **S'il l'en eût refusée** : s'il lui avait refusé sa tête.
3. **Aversion** : haine, dégoût.

565 Et si jamais l'amour échauffa tes esprits,
Sors vainqueur d'un combat dont Chimène est le prix.
Adieu, ce mot lâché me fait rougir de honte.

DON RODRIGUE, *seul.*

Est-il quelque ennemi qu'à présent je ne dompte ?
Paraissez, Navarrais[1], Mores, et Castillans,
570 Et tout ce que l'Espagne a nourri de vaillants,
Unissez-vous ensemble, et faites une armée
Pour combattre une main de la sorte animée,
Joignez tous vos efforts contre un espoir si doux,
Pour en venir à bout, c'est trop peu que de vous.

Scène 2

L'INFANTE

575 T'écouterai-je encor, respect de ma naissance,
Qui fais un crime de mes feux ?
T'écouterai-je, Amour, dont la douce puissance
Contre ce fier tyran[2] fait rebeller mes vœux ?
Pauvre Princesse, auquel des deux
580 Dois-tu prêter obéissance ?
Rodrigue, ta valeur te rend digne de moi,
Mais pour être vaillant tu n'es pas fils de Roi.
Impitoyable sort, dont la rigueur sépare
Ma gloire d'avec mes désirs,
585 Est-il dit que le choix d'une vertu si rare
Coûte à ma passion de si grands déplaisirs ?
Ô Cieux ! à combien de soupirs

---

1. Navarrais : habitants de la Navarre, royaume indépendant du nord de l'Espagne.
2. Ce fier tyran : naissance, rang social.

Faut-il que mon cœur se prépare,
S'il ne peut obtenir dessus[1] mon sentiment
1590 Ni d'éteindre l'amour, ni d'accepter l'amant ?
Mais ma honte m'abuse[2], et ma raison s'étonne
Du mépris d'un si digne choix :
Bien qu'aux Monarques seuls ma naissance me donne,
Rodrigue, avec honneur je vivrai sous tes lois.
1595 Après avoir vaincu deux Rois
Pourrais-tu manquer de couronne ?
Et ce grand nom de Cid que tu viens de gagner
Marque-t-il pas déjà sur qui tu dois régner ?
Il est digne de moi, mais il est à Chimène,
1600 Le don que j'en ai fait me nuit,
Entre eux un père mort sème si peu de haine
Que le devoir du sang[3] à regret le poursuit.
Ainsi n'espérons aucun fruit
De son crime, ni de ma peine,
1605 Puisque pour me punir le destin a permis
Que l'amour dure même entre deux ennemis.

Scène 3

L'Infante, Léonor

L'Infante

Où viens-tu, Léonor ?

Léonor

Vous témoigner, Madame,
L'aise que je ressens du repos de votre âme.

---

1. **Dessus** : sur.
2. **Abuse** : trompe.
3. **Devoir du sang** : devoir familial.

L'INFANTE

D'où viendrait ce repos dans un comble d'ennui[1] ?

LÉONOR

1610 Si l'amour vit d'espoir, et s'il meurt avec lui,
Rodrigue ne peut plus charmer[2] votre courage,
Vous savez le combat où Chimène l'engage,
Puisqu'il faut qu'il y meure, ou qu'il soit son mari,
Votre espérance est morte, et votre esprit guéri.

L'INFANTE

1615 Ô, qu'il s'en faut encor ![3]

LÉONOR

Que pouvez-vous prétendre[4] ?

L'INFANTE

Mais plutôt quel espoir me pourrais-tu défendre ?
Si Rodrigue combat sous ces conditions,
Pour en rompre l'effet j'ai trop d'inventions,
L'amour, ce doux auteur de mes cruels supplices,
1620 Aux esprits des amants apprend trop d'artifices.

LÉONOR

Pourrez-vous quelque chose après qu'un père mort
N'a pu dans leurs esprits allumer de discord[5] ?
Car Chimène aisément montre par sa conduite
Que la haine aujourd'hui ne fait pas sa poursuite :
1625 Elle obtient un combat, et pour son combattant,
C'est le premier offert qu'elle accepte à l'instant :

---

1. **Ennui** : désespoir.
2. **Charmer** : ensorceler.
3. **Ô, qu'il s'en faut encor** : oh, je n'en suis pas encore là !
4. **Prétendre** : espérer.
5. **Discord** : désaccord.

Elle ne choisit point de ces mains généreuses
Que tant d'exploits fameux rendent si glorieuses,
Don Sanche lui suffit, c'est la première fois
1630 Que ce jeune Seigneur endosse le harnois.
Elle aime en ce duel son peu d'expérience,
Comme il est sans renom, elle est sans défiance,
Un tel choix, et si prompt, vous doit bien faire voir
Qu'elle cherche un combat qui force son devoir,
1635 Et livrant à Rodrigue une victoire aisée,
Puisse l'autoriser à paraître apaisée.

L'INFANTE

Je le remarque assez, et toutefois mon cœur
À l'envi de[1] Chimène adore ce vainqueur.
À quoi me résoudrai-je, amante infortunée ?

LÉONOR

1640 À vous ressouvenir de qui vous êtes née,
Le Ciel vous doit un Roi, vous aimez un sujet.

L'INFANTE

Mon inclination[2] a bien changé d'objet.
Je n'aime plus Rodrigue, un simple Gentilhomme,
Une ardeur bien plus digne à présent me consomme ;
1645 Si j'aime, c'est l'auteur de tant de beaux exploits,
C'est le valeureux Cid, le maître de deux Rois,
Je me vaincrai pourtant, non de peur d'aucun blâme,
Mais pour ne troubler pas une si belle flamme,
Et quand pour m'obliger[3] on l'aurait couronné,
1650 Je ne veux point reprendre un bien que j'ai donné.
Puisqu'en un tel combat sa victoire est certaine
Allons encore un coup le donner à Chimène,

1. **À l'envi de** : à l'exemple de.
2. **Inclination** : amour.
3. **M'obliger** : me faire plaisir.

Et toi qui vois les traits dont mon cœur est percé,
Viens me voir achever comme j'ai commencé.

Scène 4

CHIMÈNE, ELVIRE

CHIMÈNE

1655 Elvire, que je souffre, et que je suis à plaindre !
Je ne sais qu'espérer, et je vois tout à craindre,
Aucun vœu ne m'échappe où j'ose consentir,
Et mes plus doux souhaits sont pleins d'un repentir.
À deux rivaux pour moi je fais prendre les armes,
1660 Le plus heureux succès me coûtera des larmes,
Et quoi qu'en ma faveur en ordonne le sort,
Mon père est sans vengeance, ou mon amant est mort.

ELVIRE

D'un et d'autre côté je vous vois soulagée,
Ou vous avez Rodrigue, ou vous êtes vengée,
1665 Et quoi que le destin puisse ordonner de vous,
Il soutient votre gloire et vous donne un époux.

CHIMÈNE

Quoi ? l'objet de ma haine, ou bien de ma colère !
L'assassin de Rodrigue, ou celui de mon père !
De tous les deux côtés on me donne un mari
1670 Encor tout teint du sang que j'ai le plus chéri.
De tous les deux côtés mon âme se rebelle,
Je crains plus que la mort la fin de ma querelle ;
Allez, vengeance, amour, qui troublez mes esprits,
Vous n'avez point pour moi de douceurs à ce prix.

1675 Et toi, puissant moteur du destin qui m'outrage,
Termine ce combat sans aucun avantage,
Sans faire aucun des deux, ni vaincu, ni vainqueur.

ELVIRE

Ce serait vous traiter avec trop de rigueur.
Ce combat pour votre âme est un nouveau supplice
1680 S'il vous laisse obligée à demander justice,
À témoigner toujours ce haut ressentiment,
Et poursuivre toujours la mort de votre amant.
Non, non, il vaut bien mieux que sa rare vaillance,
Lui gagnant un laurier vous impose silence,
1685 Que la loi du combat étouffe vos soupirs,
Et que le Roi vous force à suivre vos désirs.

CHIMÈNE

Quand il sera vainqueur, crois-tu que je me rende ?
Mon devoir est trop fort, et ma perte trop grande,
Et ce n'est pas assez pour leur faire la loi
1690 Que celle du combat et le vouloir[1] du Roi.
Il peut vaincre Don Sanche avec fort peu de peine,
Mais non pas avec lui la gloire de Chimène,
Et quoi qu'à sa victoire un Monarque ait promis,
Mon honneur lui fera mille autres ennemis.

ELVIRE

1695 Gardez[2], pour vous punir de cet orgueil étrange,
Que le Ciel à la fin ne souffre qu'on vous venge.
Quoi ? vous voulez encor refuser le bonheur
De pouvoir maintenant vous taire avec honneur ?
Que prétend ce devoir ? et qu'est-ce qu'il espère ?
1700 La mort de votre amant vous rendra-t-elle un père ?

---

1. **Vouloir** : volonté.
2. **Gardez** : prenez garde.

Est-ce trop peu pour vous que d'un coup de malheur ?
Faut-il perte sur perte, et douleur sur douleur ?
Allez, dans le caprice où votre humeur s'obstine,
Vous ne méritez pas l'amant qu'on vous destine,
1705 Et le Ciel, ennuyé de vous être si doux,
Vous lairra[1] par sa mort Don Sanche pour époux.

CHIMÈNE

Elvire, c'est assez des peines que j'endure,
Ne les redouble point par ce funeste augure,
Je veux, si je le puis, les éviter tous deux,
1710 Sinon, en ce combat Rodrigue a tous mes vœux :
Non qu'une folle ardeur de son côté me penche,
Mais s'il était vaincu, je serais à Don Sanche,
Cette appréhension fait naître mon souhait.
Que vois-je, malheureuse ? Elvire, c'en est fait.

Scène 5

DON SANCHE, CHIMÈNE, ELVIRE

DON SANCHE

1715 Madame, à vos genoux j'apporte cette épée.

CHIMÈNE

Quoi ? du sang de Rodrigue encor toute trempée ?
Perfide, oses-tu bien te montrer à mes yeux,
Après m'avoir ôté ce que j'aimais le mieux ?
Éclate mon amour, tu n'as plus rien à craindre,
1720 Mon père est satisfait, cesse de te contraindre,

---

1. **Lairra** : laissera.

Un même coup a mis ma gloire en sûreté,
Mon âme au désespoir, ma flamme en liberté.

DON SANCHE

D'un esprit plus rassis[1]...

CHIMÈNE

Tu me parles encore,
Exécrable assassin d'un Héros que j'adore ?
1725 Va, tu l'as pris en traître, un guerrier si vaillant
N'eût jamais succombé sous un tel assaillant.

ELVIRE

Mais, Madame, écoutez.

CHIMÈNE

Que veux-tu que j'écoute ?
Après ce que je vois puis-je être encor en doute ?
J'obtiens pour mon malheur ce que j'ai demandé,
1730 Et ma juste poursuite a trop bien succédé[2].
Pardonne, cher amant, à sa rigueur sanglante,
Songe que je suis fille aussi bien comme[3] amante,
Si j'ai vengé mon père aux dépens de ton sang,
Du mien pour te venger j'épuiserai mon flanc.
1735 Mon âme désormais n'a rien qui la retienne,
Elle ira recevoir ce pardon de la tienne.
Et toi qui me prétends acquérir par sa mort,
Ministre[4] déloyal de mon rigoureux sort,
N'espère rien de moi, tu ne m'as point servie,
1740 En croyant me venger tu m'as ôté la vie.

1. **Rassis** : calme.
2. **A trop bien succédé** : a trop bien réussi.
3. **Aussi bien comme** : aussi bien que.
4. **Ministre** : serviteur.

Don Sanche

Étrange impression[1] qui, loin de m'écouter…

Chimène

Veux-tu que de sa mort je t'écoute vanter ?
Que j'entende à loisir avec quelle insolence
Tu peindras son malheur, mon crime, et ta vaillance,
1745 Qu'à tes yeux ce récit tranche mes tristes jours[2] ?
Va, va, je mourrai bien sans ce cruel secours,
Abandonne mon âme au mal qui la possède,
Pour venger mon amant je ne veux point qu'on m'aide.

Scène 6

Le Roi, Don Diègue, Don Arias, Don Sanche,
Don Alonse, Chimène, Elvire

Chimène

Sire, il n'est plus besoin de vous dissimuler
1750 Ce que tous mes efforts ne vous ont pu celer[3].
J'aimais, vous l'avez su, mais pour venger un père
J'ai bien voulu proscrire[4] une tête si chère :
Votre Majesté, Sire, elle-même a pu voir
Comme j'ai fait céder mon amour au devoir.
1755 Enfin, Rodrigue est mort, et sa mort m'a changée
D'implacable ennemie en amante affligée.
J'ai dû cette vengeance à qui m'a mise au jour,
Et je dois maintenant ces pleurs à mon amour.

---

1. **Impression** : réaction.
2. **Tranche mes tristes jours** : me tue.
3. **Celer** : cacher.
4. **Proscrire** : mettre à prix.

Don Sanche m'a perdue en prenant ma défense,
1760 Et du bras qui me perd je suis la récompense.
Sire, si la pitié peut émouvoir un Roi,
De grâce révoquez une si dure loi ;
Pour prix d'une victoire où je perds ce que j'aime,
Je lui laisse mon bien, qu'il me laisse à moi-même ;
1765 Qu'en un Cloître sacré je pleure incessamment[1]
Jusqu'au dernier soupir mon père et mon amant.

DON DIÈGUE

Enfin, elle aime, Sire, et ne croit plus un crime
D'avouer par sa bouche une amour légitime.

LE ROI

Chimène, sors d'erreur, ton amant n'est pas mort,
1770 Et Don Sanche vaincu t'a fait un faux rapport…

DON SANCHE

Sire, un peu trop d'ardeur malgré moi l'a déçue.
Je venais du combat lui raconter l'issue.
Ce généreux guerrier dont son cœur est charmé :
« Ne crains rien (m'a-t-il dit quand il m'a désarmé),
1775 Je laisserais plutôt la victoire incertaine
Que de répandre un sang hasardé pour Chimène,
Mais puisque mon devoir m'appelle auprès du Roi,
Va de notre combat l'entretenir pour moi,
Offrir à ses genoux ta vie et ton épée. »
1780 Sire, j'y suis venu, cet objet l'a trompée,
Elle m'a cru vainqueur me voyant de retour,
Et soudain sa colère a trahi son amour,
Avec tant de transport, et tant d'impatience,
Que je n'ai pu gagner un moment d'audience[2].

---

1. **Incessamment** : éternellement.
2. **Moment d'audience** : moment d'écoute.

1785 Pour moi, bien que vaincu, je me répute heureux,
Et malgré l'intérêt de mon cœur amoureux,
Perdant infiniment, j'aime encor ma défaite,
Qui fait le beau succès d'une amour si parfaite.

Le Roi

Ma fille, il ne faut point rougir d'un si beau feu,
1790 Ni chercher les moyens d'en faire un désaveu :
Une louable honte enfin t'en sollicite,
Ta gloire est dégagée, et ton devoir est quitte,
Ton père est satisfait, et c'était le venger
Que mettre tant de fois ton Rodrigue en danger.
1795 Tu vois comme le Ciel autrement en dispose[1] ;
Ayant tant fait pour lui, fais pour toi quelque chose,
Et ne sois point rebelle à mon commandement
Qui te donne un époux aimé si chèrement.

Scène 7

Le Roi, Don Diègue, Don Arias,
Don Rodrigue, Don Alonse, Don Sanche, L'Infante,
Chimène, Léonor, Elvire

L'Infante

Sèche tes pleurs, Chimène, et reçois sans tristesse
1800 Ce généreux vainqueur des mains de ta Princesse.

Don Rodrigue

Ne vous offensez point, Sire, si devant vous
Un respect amoureux me jette à ses genoux.

---

1. **Dispose** : décide.

Je ne viens point ici demander ma conquête ;
Je viens tout de nouveau vous apporter ma tête ;
1805 Madame, mon amour n'emploiera point pour moi
Ni la loi du combat, ni le vouloir du Roi.
Si tout ce qui s'est fait est trop peu pour un père,
Dites par quels moyens il vous faut satisfaire.
Faut-il combattre encor mille et mille rivaux,
1810 Aux deux bouts de la terre étendre mes travaux[1],
Forcer moi seul un camp, mettre en fuite une armée,
Des Héros fabuleux passer[2] la renommée ?
Si mon crime par là se peut enfin laver[3],
J'ose tout entreprendre, et puis tout achever.
1815 Mais si ce fier honneur toujours inexorable[4]
Ne se peut apaiser sans la mort du coupable,
N'armez plus contre moi le pouvoir des humains,
Ma tête est à vos pieds, vengez-vous par vos mains ;
Vos mains seules ont droit de vaincre un invincible,
1820 Prenez une vengeance à tout autre impossible ;
Mais du moins que ma mort suffise à me punir,
Ne me bannissez point de votre souvenir,
Et puisque mon trépas conserve votre gloire,
Pour vous en revancher[5] conservez ma mémoire,
1825 Et dites quelquefois, en songeant à mon sort,
« S'il ne m'avait aimée il ne serait pas mort ».

CHIMÈNE

Relève-toi, Rodrigue. Il faut l'avouer, Sire,
Mon amour a paru, je ne m'en puis dédire[6],

---

1. **Travaux** : actes glorieux.
2. **Passer** : dépasser.
3. **Laver** : racheter.
4. **Inexorable** : qu'on ne peut faire fléchir.
5. **Revancher** : venger.
6. **Je ne m'en puis déduire** : je ne peux pas le nier.

Rodrigue a des vertus que je ne puis haïr,
1830 Et vous êtes mon Roi, je vous dois obéir.
Mais à quoi que déjà vous m'ayez condamnée,
Sire, quelle apparence à ce triste Hyménée,
Qu'un même jour commence et finisse mon deuil,
Mette en mon lit Rodrigue, et mon père au cercueil ?
1835 C'est trop d'intelligence avec son homicide[1],
Vers ses Mânes sacrés[2] c'est me rendre perfide,
Et souiller mon honneur d'un reproche éternel,
D'avoir trempé mes mains dans le sang paternel.

LE ROI

Le temps assez souvent a rendu légitime
1840 Ce qui semblait d'abord ne se pouvoir sans crime.
Rodrigue t'a gagnée, et tu dois être à lui,
Mais quoique sa valeur t'ait conquise aujourd'hui,
Il faudrait que je fusse ennemi de ta gloire
Pour lui donner sitôt le prix de sa victoire.
1845 Cet Hymen différé ne rompt point une loi
Qui sans marquer de temps lui destine ta foi[3].
Prends un an si tu veux pour essuyer tes larmes.
Rodrigue cependant[4], il faut prendre les armes.
Après avoir vaincu les Mores sur nos bords,
1850 Renversé leurs desseins, repoussé leurs efforts,
Va jusqu'en leur pays leur reporter la guerre,
Commander mon armée, et ravager leur terre.
À ce seul nom de Cid ils trembleront d'effroi,
Ils t'ont nommé Seigneur, et te voudront pour Roi,
1855 Mais parmi tes hauts faits sois-lui toujours fidèle,
Reviens-en, s'il se peut, encor plus digne d'elle,

---

1. **Intelligence avec son homicide** : complicité avec son meurtre.
2. **Mânes sacrés** : l'esprit de mon père.
3. **Lui destine ta foi** : te donne à lui en mariage.
4. **Cependant** : pendant ce temps.

Et par tes grands exploits fais-toi si bien priser[1]
Qu'il lui soit glorieux alors de t'épouser.

DON RODRIGUE

Pour posséder Chimène, et pour votre service,
1860 Que peut-on m'ordonner que mon bras n'accomplisse ?
Quoi qu'absent de ses yeux il me faille endurer,
Sire, ce m'est trop d'heur de pouvoir espérer.

LE ROI

Espère en ton courage, espère en ma promesse,
Et possédant déjà le cœur de ta maîtresse,
1865 Pour vaincre un point d'honneur qui combat contre toi
Laisse faire le temps, ta vaillance, et ton Roi.

1. **Priser** : estimer.

Arrêt sur lecture 5

Un quiz pour commencer

Cochez les bonnes réponses.

❶ *Qu'annonce Rodrigue à Chimène au début de l'acte V ?*

- ❒ Le duel a eu lieu et il a tué don Sanche.
- ❒ Le duel va avoir lieu et il souhaite tuer don Sanche.
- ❒ Le duel va avoir lieu et il souhaite se faire tuer par don Sanche.

❷ *Que demande Chimène à Rodrigue ?*

- ❒ De se laisser tuer par don Sanche.
- ❒ De tuer don Sanche car elle veut que Rodrigue sauve son honneur.
- ❒ De ne pas aller à ce duel.

❸ *Pourquoi, d'après l'Infante, un mariage est-il maintenant possible entre elle et Rodrigue ?*

- ❒ Elle a avoué son amour à son père, qui a accepté qu'elle l'épouse.
- ❒ Rodrigue est désormais digne d'elle parce qu'il est devenu un héros national.
- ❒ Rodrigue a confié à Léonor qu'il était amoureux de l'Infante.

❹ *Dans la scène 3, quels sont les espoirs de Chimène quant à l'issue du duel ?*

- ❒ Qu'il y ait ni vaincu, ni vainqueur.
- ❒ Que Rodrigue soit le vainqueur.
- ❒ Que don Sanche soit le vainqueur.

❺ *Quelle est la réaction de Chimène lorsqu'elle croit que don Sanche a tué Rodrigue ?*

- ❒ Elle est heureuse : son père est enfin vengé.
- ❒ Elle est en colère : elle aimait toujours Rodrigue.
- ❒ Elle s'évanouit.

❻ *Pourquoi Rodrigue et don Sanche ont-ils finalement interrompu le duel ?*

- ❒ Rodrigue a immédiatement désarmé don Sanche, mais a renoncé à le tuer.
- ❒ Don Sanche a immédiatement désarmé Rodrigue, mais a renoncé à le tuer.
- ❒ Le roi a interrompu le duel.

❼ *Pourquoi Chimène ne veut-elle pas épouser Rodrigue sur-le-champ ?*

- ❒ Elle demande à Rodrigue de ne pas sacrifier sa gloire et de poursuivre ses exploits.
- ❒ Elle ne veut pas se marier avec Rodrigue alors qu'elle porte encore le deuil de son père.
- ❒ Elle veut convaincre sa mère qui s'y oppose.

❽ *Sur quelle décision du roi la pièce se termine-t-elle ?*

- ❒ Laisser Chimène réfléchir pendant un an et envoyer Rodrigue combattre les Mores pendant ce temps.
- ❒ Marier Rodrigue à Chimène le lendemain.
- ❒ Marier Chimène à don Sanche.

Des questions pour aller plus loin

Étudier le dénouement de l'intrigue

La résolution des conflits secondaires

❶ Don Sanche apparaît-il encore comme un rival de Rodrigue à la fin de la pièce ? Et l'Infante par rapport à Chimène ? Citez les vers qui vous ont permis de répondre.
❷ Quel objet présenté par don Sanche déclenche pour la première fois la colère de Chimène contre son prétendant ? Pour quelle raison ?
❸ Cherchez dans le dictionnaire le sens du mot « quiproquo » puis expliquez sur quel quiproquo est construite la scène 5. Quelle conséquence cette méprise a-t-elle sur l'attitude de Chimène à l'égard de don Sanche ?
❹ Dans la scène 5, quel signe de ponctuation montre que don Sanche est sans cesse interrompu par Chimène ? Quel sentiment cette attitude traduit-elle ?
❺ Relevez, dans les répliques de Chimène à la scène 5, les expressions qui montrent la colère dont don Sanche est la cible.

Le triomphe de l'amour

❻ Dans la scène 6, Chimène avoue devant le roi son amour pour Rodrigue. De quelle requête accompagne-t-elle son aveu ?
❼ Pourquoi Chimène est-elle silencieuse dans presque toute la scène 6 ?
❽ Que Rodrigue demande-t-il au roi dans la scène 7 ? Qui lui répond alors ?
❾ Dans la scène 7, quel revirement peut-on repérer dans les souhaits formulés par Chimène ? Son mariage avec Rodrigue semble-t-il désormais possible ?
❿ Dans l'acte V, Chimène renonce progressivement à poursuivre Rodrigue. Récapitulez les différentes étapes de ce renoncement.

⓫ Relevez dans les vers 1749 à 1766 (p. 131-132) les mots qui appartiennent au champ lexical de l'amour.

Une fin de tragi-comédie ?

⓬ Combien de temps après la mort du Comte la scène finale se déroule-t-elle ? Relevez les vers qui vous ont permis de répondre.
⓭ Le mariage de Chimène avec l'assassin de son père vous paraît-il moralement acceptable ?
⓮ La fin de la pièce a beaucoup choqué les contemporains de Corneille qui la trouvaient contraire à la bienséance. À votre avis, pourquoi ?
⓯ Dans la réplique du roi (vers 1839-1858, p. 135-136), relevez les mots qui appartiennent au champ lexical du temps.
⓰ Cherchez le mot « tragi-comédie » dans un dictionnaire ou une encyclopédie. Dites en quoi la fin du *Cid* relève de ce genre.

Rappelez-vous !
Le dénouement apporte une résolution progressive des conflits que l'intrigue avait mis en place. Les rivaux sont écartés et le quiproquo de la scène 5 conduit Chimène, bien malgré elle, à reconnaître aux yeux de tous son amour pour Rodrigue. Le mariage peut avoir lieu, même s'il est différé à l'année suivante. La pièce se termine donc sur une note optimiste, typique de la tragi-comédie.

De la lecture à l'écriture

Des mots pour mieux écrire

❶ *À chaque mot de la liste 1 correspond un synonyme parmi les mots de la liste 2. À vous de faire les paires.*

Liste 1: audience, inexorable, déplorer, dessein, priser.
Liste 2: inéluctable, regretter, estimer, objectif, attention.

❷ *Complétez chacune des phrases avec le mot qui convient:*
ressentiment, magnanime, vaillant, renommée, défiance.

a. Pierre s'est montré __________: il n'a même pas cherché à se venger de l'affront que Paul lui a fait subir.
b. Pierre se méfie beaucoup de Paul: il fait sans cesse preuve de __________ à son égard.
c. Pierre en veut à Paul pour sa trahison et n'arrive pas à lutter contre ce __________.
d. Pierre a été très __________: il s'est battu avec Paul jusqu'au bout.
e. En faisant courir des fausses rumeurs sur Pierre, Paul a entaché sa __________.

À vous d'écrire

❶ Un an plus tard, Rodrigue retrouve Chimène. Ils évoquent l'épisode tourmenté de la mort du Comte et leur vie pendant l'année de séparation.
Consigne. Votre texte, d'une vingtaine de lignes, prendra la forme d'une scène dialoguée entre Rodrigue et Chimène. Chacun des protagonistes

reviendra sur l'épisode du duel et exposera son nouveau point de vue sur les événements.

❷ Dans une lettre adressée au roi, l'Infante décide de lui faire connaître l'amour qu'elle éprouve pour Rodrigue. Imaginez cette lettre.

Consigne. Votre lettre devra respecter les codes de la lettre. L'infante y évoquera le combat qu'elle a mené entre le devoir qu'impose son rang social et son amour pour Rodrigue. Veillez à employer des mots appartenant aux champs lexicaux du devoir, de l'honneur et de l'amour.

Arrêt sur l'œuvre

Des questions sur l'ensemble de la pièce

Des personnages face à un dilemme

❶ Retrouvez les deux scènes où Rodrigue exprime son dilemme. Quelle valeur suprême l'emporte dans sa décision ?
❷ Retrouvez les trois scènes où Chimène exprime son dilemme. Est-elle guidée dans ses décisions par la même valeur que Rodrigue ?
❸ Relisez les scènes où apparaît l'Infante. En quoi consiste son dilemme ? Comment le résout-elle ?

Héroïsme et générosité

❹ Le terme de « générosité » est très couramment employé dans la pièce. Que signifie-t-il exactement et à quel personnage s'applique-t-il le plus ?
❺ Que doit faire Chimène pour se montrer digne de son rang social ?
❻ Retrouvez les différentes étapes de l'accession de Rodrigue au statut de héros national.

Le Cid, une pièce classique ?

❼ La règle de la bienséance interdit de représenter la mort sur scène. Corneille respecte-t-il cette règle ? De quelle manière ?
❽ Selon la règle de l'unité de lieu, la pièce doit se dérouler dans un lieu unique. Corneille la respecte-t-il ? Pour vous aider, dressez la liste de tous les lieux où se déroule l'action de la pièce.
❾ Selon la règle de l'unité d'action, la pièce doit comporter une unique intrigue. Quelles scènes de la pièce vous paraissent secondaires par rapport à l'intrigue principale ? D'après votre réponse, peut-on dire que Corneille ait respecté cette règle à la lettre ?
❿ Selon la règle de l'unité de temps, l'action d'une pièce de théâtre ne doit pas dépasser vingt-quatre heures. Combien de temps l'action du *Cid* dure-t-elle ?

Des mots pour mieux écrire

Lexique de l'honneur

Affront : offense faite en public avec la volonté de marquer son mépris.
Dédain : mépris.
Générosité : qualité d'une âme bien née, sentiment de l'honneur.
Gloire : grande renommée, répandue dans un très vaste public, que l'on doit à ses mérites.
Infamie : atteinte grave à la réputation.
Injure : parole offensante.
Laurier : arbre originaire des régions méditerranéennes, symbole de la gloire.
Rang : place que quelqu'un occupe dans la société et qui lui est conférée par la naissance.
Renommée : réputation.
Soufflet : gifle.

Mots croisés

Tous les mots à placer dans cette grille simplifiée se trouvent dans le lexique de l'honneur.

Horizontalement

1. En allant combattre contre les Mores, Rodrigue part à sa conquête.
2. Elle prend souvent la forme d'un gros mot.
3. Les stars en ont une très grande.
4. César en était coiffé.
5. Déshonneur très grave.
6. Se reçoit généralement sur la joue.

Verticalement

A. Fait d'offenser quelqu'un.
B. Trait de caractère indispensable pour être digne de son rang.
C. Les rois et les valets n'ont pas le même dans la société.
D. Sentiment affiché par celui qui se croit supérieur.

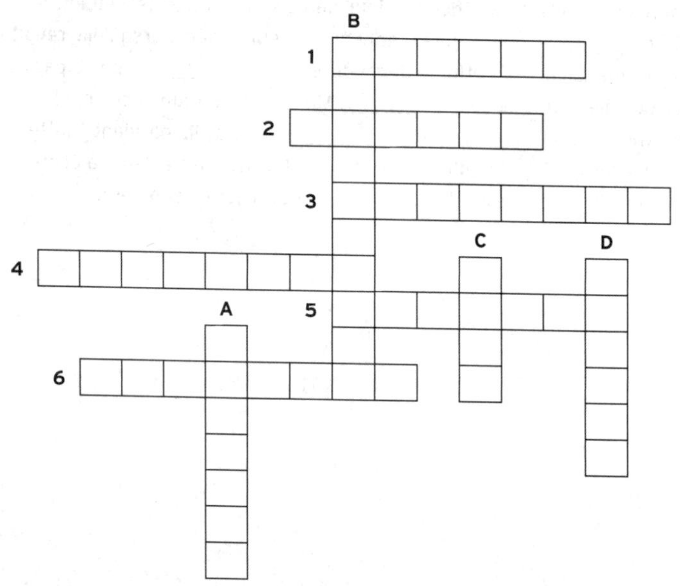

Lexique de l'amour

Adorer : aimer d'un amour passionné.
Aimable : digne d'être aimé.
Amant : celui qui aime et qui est aimé en retour.
Appâts : attraits, charmes de quelqu'un.
Charme : action magique, qui ensorcelle ou séduit.
Cœur : siège des passions amoureuses.
Flamme : passion amoureuse.
Inclination : mouvement qui porte à aimer quelqu'un, affection.
Maîtresse : femme qui aime et est aimée en retour.
Transport : vive émotion, manifestation de passion.

Complétez le texte suivant en utilisant les mots du lexique de l'amour qui conviennent.

Jusqu'à ce que la querelle opposant son père à don Diègue compromette son bonheur, Chimène avait l'espoir d'épouser son _________ Rodrigue. Depuis longtemps, elle avait de l'_________ pour lui et lui n'était pas insensible aux _________ de sa _________. Après l'épisode du soufflet, les deux héros sont contraints à éteindre leur _________ pour sauver l'honneur de leur lignée. Lorsqu'elle revoit Rodrigue, Chimène s'efforce de modérer ses _________ et de ne pas lui dévoiler l'état de son _________. Mais, plus Rodrigue accomplit d'exploits, plus elle le trouve _________ et moins elle parvient à lutter contre le _________ qu'il exerce sur elle. Elle avoue d'ailleurs à Elvire qu'elle n'a jamais cessé d'_________ le meurtrier de son père.

À vous de créer

❶ *Mettre en scène* Le Cid

À vous de mettre en scène *Le Cid*. Formez des groupes de deux ou trois élèves. Choisissez une scène que vous aimeriez interpréter et répartissez-vous les rôles.

Étape 1. Pensez au caractère du personnage que vous avez choisi et essayez de définir le sentiment qu'il éprouve à ce moment de la pièce.

Étape 2. Imaginez le décor de la scène et sélectionnez les accessoires qui pourraient vous servir (une épée, une chaise par exemple).

Étape 3. Mettez-vous d'accord sur des jeux de scène (positions et déplacements des différents personnages).

Étape 4. Apprenez votre texte par cœur et interprétez-le de manière vivante. Soyez particulièrement attentif(ve) au rythme de l'alexandrin (vous pouvez souligner au crayon les e que vous devrez prononcer pour être certain(e) de ne pas les oublier).

❷ *Réaliser la couverture du* Cid

Vous êtes chargé(e) d'une nouvelle édition du *Cid* destinée à des élèves de 4e. Imaginez la première et la quatrième de couverture de votre livre.

Étape 1. Pour la première de couverture, cherchez au CDI ou sur Internet une image (tableau, photographie d'une mise en scène, etc.) qui vous paraisse bien illustrer la pièce et qui puisse attirer les lecteurs. Faites figurer le titre de l'œuvre, le nom de l'auteur, mentionnez une maison d'édition et le titre d'une collection (que vous pouvez inventer).

Étape 2. Pour la quatrième de couverture, rédigez un texte court qui donne envie de lire la pièce de Corneille. Vous pourrez, par exemple, proposer un résumé incomplet de l'œuvre qui ne raconte pas la fin de la pièce ou choisir de mettre l'accent sur l'incroyable succès que cette pièce a toujours connu depuis sa création.

Du texte à l'image

➡ Francis Huster (Don Rodrigue) dans *Le Cid*, mise en scène de Francis Huster, Théâtre Renaud-Barault, 1985.
➡ Diego Velásquez, *Philippe III, roi d'Espagne*, huile sur toile, 1629-1635.
➡ Gérard Philipe (Don Rodrigue) dans *Le Cid*, mise en scène de Jean Vilar, Festival d'Avignon, 1951.
(Images reproduites en couverture et en début d'ouvrage au verso de la couverture.)

Lire l'image

❶ Comparez les postures de Rodrigue dans les deux mises en scène du *Cid*. Sur quels aspects du héros ces images insistent-elles ?
❷ Dans le tableau de Velásquez, décrivez le cavalier, son cheval et le décor. De laquelle des deux images du Cid (incarné respectivement par Francis Huster et Gérard Philipe) est-elle la plus proche ?
❸ Qui est représenté sur le tableau de Velásquez ? À quelle classe sociale appartient-il et quelle est sa nationalité ? Comparez votre réponse avec ce que vous savez de l'identité du Cid.

Comparer le texte et l'image

❹ Dites, pour chacune des trois images, quel moment de la pièce elle illustre le mieux. Justifiez votre réponse.
❺ Que voit-on sur le visage de Rodrigue incarné par Francis Huster ? Ce choix aurait-il été possible au XVIIe siècle ? Pourquoi ?
❻ Lequel de ces trois héros vous paraît le mieux incarner Rodrigue ? Pourquoi ?

À vous de créer

❼ Rédigez le portrait de votre héros idéal.
Consigne. Au brouillon, faites la liste des qualités qui, selon vous, sont indispensables pour faire un héros digne de ce nom. En une quinzaine de lignes, vous devrez organiser votre description selon un ordre précis : son apparence physique, puis ses qualités morales.

Groupements de textes

Affaires d'honneur

Paul Scarron, *Le Jodelet ou le maître valet*

Dans cette pièce représentée pour la première fois en 1645, Scarron met en scène un personnage typique de la comédie, le poltron, dont les actions lâches et les discours pleins de vantardise sont destinés à faire rire le spectateur. Jodelet a été chargé par son maître dom Juan de se battre en duel contre dom Louis. Dans l'extrait suivant, le poltron essaie de vaincre sa couardise et attaque son adversaire... de dos.

DOM JUAN *ouvre la porte et en ôte la clé.*

Laissons la porte ouverte, et gagnons cette Alcôve[1],
Je les entends venir.

JODELET

Mon Maître, Dieu me sauve,
Ne fut jamais qu'un traître, il s'en est allé :
Hélas ! j'ai le sang *quasi* tout congelé,
Et qui l'eût jamais cru ? Peste, il ferme la porte,
Que deviendrai-je donc ?

---

1. **Alcôve** : renfoncement dans une chambre réservé à un ou plusieurs lits.

DOM LOUIS

Nous pouvons de la sorte
Nous battre tout le saoul[1], si le cœur vous en dit.

JODELET

Vous me pardonnerez, je n'ai point d'appétit.

DOM LOUIS

Que différez-vous donc à venger votre outrage ?
Je crains votre raison moins que votre courage :
Vous ne me dites mot, et bien qu'attendons-nous ?
Ah ! vraiment si j'étais offensé comme vous,
Je vous montrerais bien une autre impatience.

JODELET

Mon Maître assurément n'a point de conscience.

DOM LOUIS

Que diable cherchez-vous ?

JODELET

Je cherche ma valeur.

DOM LOUIS

Après avoir montré tant de chaleur,
Vous êtes maintenant, ce me semble, un peu tiède,
Mais pour vous réchauffer je tiens un bon remède.

JODELET

Ah, bon Dieu ! quelle longue épée à giboyer[2],
Et qui peut seulement la voir sans s'effrayer !

DOM LOUIS

Dom Juan est poltron, ou fait semblant de l'être.
[...]

---

1. **Tout le saoul** : autant qu'on veut.
2. **Giboyer** : chasser.

JODELET *pousse une estocade*[1] *sans être en mesure*[2].
Dieu veuille être avec nous.

DOM LOUIS
L'effort est violent,
Vous vous battez fort bien.
[...]

JODELET
Pour vous témoigner que je ne vous crains guère,
Je ne veux point avoir d'avantage sur vous,
Je veux sans voir, vous battre, et vous rouer de coups.
Meurs donc chandelle, meurs, et nous laisse en ténèbres,
Et vous, allez finir vos passe-temps funèbres.
Pour moi qui suis exact en ce que je promets,
Je veux être pendu si l'on m'y prend jamais.

DOM LOUIS
C'est dans l'obscurité que la lumière est belle,
Vous ne vous battiez pas si bien à la chandelle,
Et vous m'avez blessé, mais je m'en vengerai.

Paul Scarron, *Jodelet ou le maître valet* [1645], dans *Théâtre complet*, Champion, « Sources classiques », 2009.

Montesquieu, *De l'esprit des lois*

Dans *De l'esprit des lois*, Montesquieu (1689-1755) s'interroge sur le pouvoir politique et sur les mœurs des hommes. Dans l'extrait suivant, il s'intéresse au code de l'honneur qui, selon lui, régit les relations humaines dans le monde de la Cour.

Ce n'est point dans les maisons publiques où l'on instruit l'enfance, que l'on reçoit dans les monarchies la principale éducation ;

1. **Estocade** : coup d'épée.
2. **Être en mesure** : être à une distance convenable pour porter ou pour parer un coup d'épée.

c'est lorsque l'on entre dans le monde, que l'éducation en quelque façon commence. Là est l'école de ce que l'on appelle *l'honneur*, ce maître universel qui doit partout nous conduire.

[...] On n'y juge pas les actions des hommes comme bonnes, mais comme belles ; comme justes, mais comme grandes ; comme raisonnables, mais comme extraordinaires.

Dès que l'honneur y peut trouver quelque chose de noble, il est ou le juge qui les rend légitimes, ou le sophiste[1] qui les justifie. [...] Là l'honneur, se mêlant partout, entre dans toutes les façons de penser et toutes les manières de sentir, et dirige même les principes.

Cet honneur bizarre fait que les vertus ne sont que ce qu'il veut, et comme il les veut : il met de son chef[2], des règles à tout ce qui nous est prescrit ; il étend ou il borne nos devoirs à sa fantaisie, soit qu'ils aient leur source dans la religion, dans la politique, ou dans la morale.

Il n'y a rien dans la monarchie que les lois, la religion et l'honneur prescrivent tant que l'obéissance aux volontés du prince : mais cet honneur nous dicte que le prince ne doit jamais nous prescrire une action qui nous déshonore, parce qu'elle nous rendrait incapables de le servir.

Crillon refusa d'assassiner le duc de Guise, mais il offrit à Henri III de se battre contre lui. Après la Saint-Barthélémy[3], Charles IX ayant écrit à tous les gouverneurs de faire massacrer les Huguenots[4], le vicomte d'Orte, qui commandait dans Bayonne écrivit au roi : « Sire, je n'ai trouvé parmi les habitants et les gens de guerre que de bons citoyens, de braves soldats, et pas un bourreau ; ainsi, eux et moi supplions Votre Majesté d'employer nos bras et nos vies à choses faisables. » Ce grand et généreux courage regardait une lâcheté comme une chose impossible.

Montesquieu, *De l'esprit des lois* [1748],
Gallimard, « Folio essais », 1995.

---

1. **Sophiste** : personne qui use de raisonnements spécieux.
2. **De son chef** : de sa propre initiative.
3. **Saint-Barthélémy** : massacre de protestants à Paris, le 24 août 1572.
4. **Huguenots** : protestants.

Alexandre Dumas, *Les Trois Mousquetaires*

Dans ce roman de cape et d'épée, Alexandre Dumas (1802-1870) raconte les aventures de quatre mousquetaires, dont l'un, d'Artagnan, accorde beaucoup d'importance à l'honneur. Dumas choisit pour la première apparition de ce personnage une scène où le héros pense être l'objet d'un affront. Alors qu'il passe sous une fenêtre avec son cheval, d'Artagnan entend des inconnus discuter. Persuadé qu'ils se moquent de lui, il provoque l'un d'eux en duel afin de venger l'offense supposée.

Mais là, comme il descendait de cheval à la porte du *Franc Meunier* sans que personne, hôte, garçon ou palefrenier[1], fût venu prendre l'étrier du montoir[2], d'Artagnan avisa à une fenêtre entrouverte du rez-de-chaussée un gentilhomme de belle taille et de haute mine, quoique au visage légèrement renfrogné, lequel causait avec deux personnes qui paraissaient l'écouter avec déférence[3]. D'Artagnan crut tout naturellement, selon son habitude, être l'objet de la conversation et écouta. Cette fois, d'Artagnan ne s'était trompé qu'à moitié : ce n'était pas de lui qu'il était question, mais de son cheval. Le gentilhomme paraissait énumérer à ses auditeurs toutes ses qualités, et comme, ainsi que je l'ai dit, les auditeurs paraissaient avoir une grande déférence pour le narrateur, ils éclataient de rire à tout moment. Or, comme un demi-sourire suffisait pour éveiller l'irascibilité du jeune homme, on comprend quel effet produisit sur lui tant de bruyante hilarité.

[...] Il tira son épée entièrement du fourreau et se mit à sa poursuite [du moqueur], en criant :

– Tournez, tournez donc, Monsieur le railleur[4], que je ne vous frappe point par derrière.

– Me frapper, moi ! dit l'autre en pivotant sur ses talons et en regardant le jeune homme avec autant d'étonnement que de mépris. Allons, allons donc, mon cher, vous êtes fou !

[...] Il achevait à peine que d'Artagnan lui allongea un si furieux coup de pointe, que, s'il n'eût fait vivement un bond en

1. **Palefrenier** : personne chargée du soin des chevaux.
2. **Montoir** : grosse pierre ou banc qui sert à monter sur un cheval.
3. **Déférence** : respect.
4. **Railleur** : moqueur.

arrière, il est probable qu'il eût plaisanté pour la dernière fois. L'inconnu vit alors que la chose passait la raillerie, tira son épée, salua son adversaire et se mit gravement en garde. Mais au même moment ses deux auditeurs, accompagnés de l'hôte, tombèrent sur d'Artagnan à grands coups de bâton, de pelles et de pincettes[1]. Cela fit une diversion si rapide et si complète à l'attaque que l'adversaire de d'Artagnan, pendant que celui-ci se retournait pour faire face à cette grêle de coups, rengainait avec la même précision, et, d'acteur qu'il avait manqué d'être, redevenait spectateur du combat, rôle dont il s'acquitta avec son impassibilité ordinaire, tout en marmottant[2] néanmoins :

– La peste soit des Gascons[3] ! Remettez-le sur son cheval orange, et qu'il s'en aille !

– Pas avant de t'avoir tué, lâche ! criait d'Artagnan tout en faisant face du mieux qu'il pouvait et sans reculer d'un pas à ses trois ennemis, qui le moulaient de coups.

– Encore une gasconnade[4], murmura le gentilhomme. Sur mon honneur, ces Gascons sont incorrigibles ! Continuez donc la danse, puisqu'il le veut absolument. Quand il sera las, il dira qu'il en a assez.

Mais l'inconnu ne savait pas encore à quel genre d'entêté il avait affaire ; d'Artagnan n'était pas homme à jamais demander merci[5]. Le combat continua donc quelques secondes encore ; enfin d'Artagnan, épuisé, laissa échapper son épée qu'un coup de bâton brisa en deux morceaux. Un autre coup, qui lui entama le front, le renversa presque en même temps tout sanglant et presque évanoui.

Alexandre Dumas, *Les Trois Mousquetaires* [1844],
Gallimard, « Folio », 2001.

---

1. Pincettes : longues pinces à deux branches servant à attiser le feu.
2. Marmottant : marmonnant.
3. Gascons : habitants de la Gascogne qui étaient réputés pour leur caractère fanfaron. D'Artagnan était un Gascon.
4. Gasconnade : action, propos de Gascon. Par extension, fanfaronnade.
5. Demander merci : demander grâce.

Prosper Mérimée, *Mateo Falcone*

L'action de cette nouvelle de Prosper Mérimée (1803-1870) se situe en Corse, où la tradition de la *vendetta* (« vengeance ») fait rage. Alors que Mateo et sa femme sont partis chasser, leur fils unique, Fortunato, voit arriver un homme en cavale nommé Gianetto, qui lui demande de le cacher. Quelque temps après, des hommes armés se présentent chez Mateo et demandent à Fortunato s'il n'a pas vu Gianeto. Le jeune garçon ne répond pas, puis se laisse séduire par le capitaine qui lui promet une magnifique montre en échange de sa dénonciation. Lorsque Mateo apprend la trahison de Fortunato, il considère l'honneur familial bafoué et décide de laver cet affront en tuant son propre fils.

Il se passa près de dix minutes avant que Mateo ouvrît la bouche. L'enfant regardait d'un œil inquiet tantôt sa mère et tantôt son père, qui, s'appuyant sur son fusil, le considérait avec une expression de colère concentrée.

« Tu commences bien ! dit enfin Mateo d'une voix calme, mais effrayante pour qui connaissait l'homme.

– Mon père ! » s'écria l'enfant en s'avançant les larmes aux yeux comme pour se jeter à ses genoux. Mais Mateo lui cria : « Arrière de moi ! ». Et l'enfant s'arrêta et sanglota, immobile, à quelques pas de son père. [...] Enfin il [Matéo] frappa la terre de la crosse de son fusil, puis le jeta sur son épaule et reprit le chemin du maquis en criant à Fortunato de le suivre. L'enfant obéit. [...] Falcone marcha quelque deux cents pas dans le sentier et ne s'arrêta que dans un petit ravin où il descendit. Il sonda la terre avec la crosse de son fusil et la trouva molle et facile à creuser. L'endroit lui parut convenable pour son dessein.

« Fortunato, va auprès de cette grosse pierre. »

L'enfant fit ce qu'il lui commandait, puis il s'agenouilla.

« Dis tes prières.

– Mon père, mon père, ne me tuez pas !

– Dis tes prières ! » répéta Mateo d'une voix terrible.

L'enfant, tout en balbutiant et en sanglotant, récita le *Pater* et le *Credo*. Le père d'une voix forte répondait *Amen* ! à la fin de chaque prière.

« Sont-ce là toutes les prières que tu sais ?

– Mon père, je sais encore l'*Ave Maria* et la litanie que ma tante m'a apprise.

– Elle est bien longue, n'importe. »

L'enfant acheva la litanie d'une voix éteinte.

« As-tu fini ?

– Oh ! mon père, grâce ! pardonnez-moi ! Je ne le ferai plus ! Je prierai tant mon cousin le caporal qu'on fera grâce au Gianetto ! »

Il parlait encore ; Mateo avait armé son fusil et le couchait en joue[1] en lui disant : « Que Dieu te pardonne ! ». L'enfant fit un effort désespéré pour se relever et embrasser les genoux de son père ; mais il n'en eut pas le temps. Mateo fit feu, et Fortunato tomba roide[2] mort.

Sans jeter un coup d'œil sur le cadavre, Mateo reprit le chemin de sa maison pour aller chercher une bêche afin d'enterrer son fils. Il avait fait à peine quelques pas qu'il rencontra Giuseppa, qui accourait alarmée du coup de feu.

« Qu'as-tu fait ? s'écria-t-elle.

– Justice. »

Prosper Mérimée, *Mateo Falcone* [1830],
Belin-Gallimard, « Classico », 2009.

Guy de Maupassant, *Bel-Ami*

Dans ce roman, Guy de Maupassant (1850-1893) raconte l'ascension sociale de Georges Duroy qui conquiert Paris en s'entourant de femmes influentes et en devenant un puissant journaliste. Dans l'extrait suivant, il se prépare à affronter un rival en duel et réfléchit au bien-fondé de ce combat. Terrorisé par l'idée de sa propre mort, Duroy révèle une lâcheté bien éloignée de l'héroïsme cornélien.

Tout cela s'était fait si inopinément[3], sans qu'il y prît part, sans qu'il dît un mot, sans qu'il donnât son avis, sans qu'il acceptât ou

1. **Couchait en joue** : mettre un fusil contre sa joue pour tirer.
2. **Roide** : raide.
3. **Inopinément** : involontairement.

refusât, et avec tant de rapidité qu'il demeurait étourdi, effaré, sans trop comprendre ce qui se passait. Il se retrouva chez lui vers neuf heures du soir après avoir dîné avec Boisrenard, qui ne l'avait point quitté de tout le jour par dévouement.

Dès qu'il fut seul, il marcha pendant quelques minutes, à grands pas vifs, à travers sa chambre. Il était trop troublé pour réfléchir à rien. Une seule idée emplissait son esprit: « Un duel demain », sans que cette idée éveillât en lui autre chose qu'une émotion confuse et puissante. Il avait été soldat, il avait tiré sur des Arabes, sans grand danger pour lui, d'ailleurs, un peu comme on tire sur un sanglier, à la chasse.

En somme, il avait fait ce qu'il devait faire. Il s'était montré ce qu'il devait être. On en parlerait, on l'approuverait, on le féliciterait. Puis il prononça à haute voix, comme on parle dans les grandes secousses de pensée: « Quelle brute que cet homme ! ».

Il s'assit et se mit à réfléchir. Il avait jeté sur sa petite table une carte de son adversaire remise par Rival, afin de garder son adresse. Il la relut, comme il l'avait déjà lue vingt fois dans la journée. *Louis Langremont, 176, rue Montmartre.* Rien de plus.

Il examinait ces lettres assemblées qui lui paraissaient mystérieuses, pleines de sons inquiétants. « Louis Langremont », qui était cet homme ? De quel âge ? De quelle taille ? De quelle figure ? N'était-ce pas révoltant qu'un étranger, un inconnu, vînt ainsi troubler votre vie, tout d'un coup, sans raison, par pur caprice, à propos d'une vieille femme qui s'était querellée avec son boucher ?

Il répéta encore une fois, à haute voix: « Quelle brute ! »

Et il demeura immobile, songeant le regard toujours planté sur la carte. Une colère s'éveillait en lui contre ce morceau de papier, une colère haineuse où se mêlait un étrange sentiment de malaise. C'était stupide cette histoire-là ! Il prit une paire de ciseaux à ongles qui traînaient et il les piqua au milieu du nom imprimé comme s'il eût poignardé quelqu'un.

Donc il allait se battre, et se battre au pistolet ? Pourquoi n'avait-il pas choisi l'épée ? Il aurait été quitte pour une piqûre au bras ou à la main, tandis qu'avec le pistolet on ne savait jamais les suites possibles.

Il dit: « Allons, il faut être crâne. »

Le son de sa voix le fit tressaillir, et il regarda autour de lui. Il commençait à se sentir fort nerveux. Il but un verre d'eau, puis se coucha.

Dès qu'il fut au lit, il souffla sa lumière et ferma les yeux.

Il avait très chaud dans ses draps, bien qu'il fît très froid dans sa chambre, mais il ne pouvait parvenir à s'assoupir. Il se tournait et se retournait, demeurait cinq minutes sur le dos, puis se plaçait sur le côté gauche, puis se roulait sur le côté droit.

Il avait encore soif. Il se releva pour boire, puis une inquiétude le saisit: « Est-ce que j'aurais peur? »

Pourquoi son cœur se mettait-il à battre follement à chaque bruit connu de sa chambre? Quand son coucou allait sonner, le petit grincement du ressort lui faisait faire un sursaut; et il lui fallait ouvrir la bouche pour respirer pendant quelques secondes, tant il demeurait oppressé.

Il se mit à raisonner en philosophe sur la possibilité de cette chose: « Aurais-je peur? »

Non certes il n'aurait pas peur puisqu'il était résolu à aller jusqu'au bout, puisqu'il avait cette volonté bien arrêtée de se battre, de ne pas trembler. Mais il se sentait si profondément ému qu'il se demanda: « Peut-on avoir peur malgré soi? » Et ce doute l'envahit, cette inquiétude, cette épouvante! Si une force plus puissante que sa volonté, dominatrice, irrésistible le domptait, qu'arriverait-il? Oui, que pouvait-il arriver!

Certes, il irait sur le terrain, puisqu'il voulait y aller. Mais s'il tremblait? Mais s'il perdait connaissance? Et il songea à sa situation, à sa réputation, à son avenir.

Et un singulier besoin le prit tout à coup de se relever pour se regarder dans la glace. Il ralluma sa bougie. Quand il aperçut son visage reflété dans le verre poli, il se reconnut à peine, et il lui sembla qu'il ne s'était jamais vu. Ses yeux lui parurent énormes; et il était pâle, certes, il était pâle, très pâle.

Tout d'un coup, cette pensée entra en lui à la façon d'une balle: « Demain, à cette heure-ci, je serai peut-être mort. » Et son cœur se remit à battre furieusement.

Guy de Maupassant, *Bel-Ami* [1885],
Belin-Gallimard, « Classico », 2009.

Amour et devoir

Tristan et Yseut

L'histoire tragique de Tristan et Yseut est issue d'une légende d'origine celtique que le conteur normand Béroul a mise en récit vers 1170. Yseut est promise au roi Marc et s'apprête à l'épouser. Pour préparer le mariage, les futurs époux doivent prendre un philtre d'amour qui les liera à jamais, mais, à la place de Marc, c'est Tristan qui le boit involontairement. Dès lors, Tristan et Yseut éprouvent l'un pour l'autre une passion dévorante qui les contraint à s'enfuir. Dans l'extrait suivant, Tristan expose ses souffrances à l'ermite Ogrin.

Un jour, ils arrivent par hasard à l'ermitage de Frère Ogrin. La vie qu'ils [Tristan et Yseut] mènent est dure et pénible mais leur amour mutuel fait que, grâce à l'autre, aucun des deux ne souffre. L'ermite, appuyé sur son bâton, reconnut Tristan ; il l'interpelle, écoutez comment :

« Sire Tristan, toute la Cornouaille[1] s'est engagée solennellement. Celui qui vous livrera au roi recevra sans faute cent marcs[2] de récompense. Tous les barons de ce pays ont donc juré au roi, la main dans celle de Marc, de vous livrer mort ou vif. »

Ogrin ajoute avec bonté : « Par ma foi, Tristan, Dieu pardonne les péchés de celui qui se repent, à condition qu'il ait la foi et qu'il se confesse. »

Tristan lui dit : « Par ma foi, seigneur, elle m'aime en toute bonne foi mais vous ne comprenez pas pourquoi. Si elle m'aime, c'est la potion qui en est la cause. Je ne peux pas me séparer d'elle, ni elle de moi, je dois vous l'avouer. »

Ogrin lui dit : « Comment peut-on sauver un homme mort ? Il est bien mort celui qui persiste dans le péché ; s'il ne se repent pas lui-même, personne ne peut faire remise[3] à un pécheur de sa pénitence[4] ; accomplis ta pénitence ! »

---

1. **Cornouaille** : région du sud-ouest de l'Angleterre.
2. **Marcs** : monnaie du royaume.
3. **Faire remise** : libérer.
4. **Pénitence** : repentir.

L'ermite Ogrin prolonge son sermon et leur conseille de se repentir. Il leur cite à plusieurs reprises le témoignage de l'Écriture[1]. Avec insistance, il leur rappelle l'obligation de se séparer. Il dit à Tristan d'une voix émue :

« Que vas-tu faire ? Réfléchis !

– Sire, j'aime Yseut éperdument, au point d'en perdre le sommeil. Ma décision est irrévocable : j'aime mieux vivre comme un mendiant avec elle, me nourrir d'herbes et de glands, plutôt que de posséder le royaume d'Otran[2]. Ne me demandez pas de la quitter car, vraiment, c'est impossible. »

Au pied de l'ermite, Yseut éclate en sanglots. À plusieurs reprises, son visage change de couleur. Elle l'implore d'avoir pitié d'elle :

« Sire, par le Dieu tout-puissant, il ne m'aime et je ne l'aime qu'à cause d'un breuvage que j'ai bu et qu'il a bu. Voilà notre péché ! C'est pour cela que le roi nous a chassés. »

L'ermite lui répond aussitôt :

« À Dieu vat[3] ! Que Dieu qui créa le monde vous accorde un repentir bien sincère ! »

Béroul, *Tristan et Yseut*, trad. de Philippe Walter,
LGF, « Le livre de poche », 2000.

Shakespeare, *Roméo et Juliette*

Roméo et Juliette **est une des pièces les plus célèbres du dramaturge anglais Shakespeare (1564-1616). Elle raconte l'histoire d'amour tragique de Roméo Montaigu et de Juliette Capulet. Les deux amants sont issus de deux familles rivales qui se vouent une haine mortelle. Dans cette scène, Roméo est entré dans le jardin des Capulet pour espérer apercevoir sa bien-aimée. Il la découvre à sa fenêtre et l'observe secrètement. Celle-ci, se croyant seule, dit tout haut son amour pour Roméo.**

---

1. L'Écriture : la Bible.
2. Otran : roi légendaire de Nîmes. Le royaume d'Otran était le symbole de la richesse.
3. À Dieu vat ! : à Dieu ne plaise !

JULIETTE

Ô Roméo, Roméo, pourquoi es-tu Roméo ?
Renie ton père et refuse ton nom ;
Ou si tu ne veux pas, jure d'être mon amour,
Et je ne serai plus une Capulet.

ROMÉO

Dois-je écouter encore, ou dois-je lui parler ?

JULIETTE

C'est seulement ton nom qui est mon ennemi ;
Tu es toi-même, quand tu ne serais plus un Montaigu.
Qu'est-ce qu'un Montaigu ? Ce n'est ni une main, ni un pied,
Ni un bras, ni un visage [, ni aucune autre partie]
Du corps d'un homme. Oh ! sois quelque autre nom !
Qu'y a-t-il dans un nom ? Ce qu'on appelle une rose
Sous un tout autre nom sentirait aussi bon ;
De même Roméo, s'il ne s'appelait pas Roméo,
Garderait cette chère perfection qui est la sienne
Sans ce titre. Roméo, enlève ton nom,
Et en échange de ton nom, qui n'est aucune partie de toi,
Prends-moi toute.

ROMÉO

Je te prends au mot :
Appelle-moi seulement amour et je serai rebaptisé ;
Désormais plus jamais je ne serai Roméo.

JULIETTE

Quel homme es-tu, toi qui, dans l'écran de la nuit,
Trébuches ainsi sur mon secret ?

ROMÉO

D'un nom
Je ne sais pas comment te dire qui je suis :
Mon nom, chère sainte, est pour moi-même haïssable
Parce qu'il est un ennemi pour toi ;
L'eussé-je par écrit, je déchirerais le mot.

JULIETTE

Mes oreilles n'ont pas encore bu cent mots
Prononcés par ta langue, pourtant j'en reconnais le son.
N'es-tu pas Roméo, et un Montaigu ?

ROMÉO

Ni l'un ni l'autre, vierge, si l'un et l'autre te déplaisent.

JULIETTE

Comment es-tu venu ici, dis-moi, et pourquoi ?
Les murs de ce verger sont hauts et difficiles à escalader,
Et ce lieu, la mort, considérant qui tu es
Si l'un de mes proches te trouve ici.

ROMÉO

Sur les ailes légères de l'amour j'ai survolé ces murs,
Car les bornes de pierre ne sauraient retenir l'amour,
Et ce que peut l'amour, l'amour ose le tenter :
Ainsi tes proches ne peuvent pas m'arrêter.

JULIETTE

S'ils te voient, ils vont t'assassiner.

ROMÉO

Hélas ! il y a plus de périls dans ton œil
Que dans vingt de leurs épées : un doux regard de toi,
Et je suis cuirassé contre leur inimitié.

JULIETTE

Je ne voudrais pas pour le monde entier qu'ils te voient ici.

ROMÉO

J'ai le manteau de la nuit pour me cacher à leurs yeux,
Et si tu ne m'aimes pas, qu'ils me trouvent ici.
Plutôt ma vie achevée par leur haine
Que ma mort différée, s'il me manque ton amour.

Shakespeare, *Roméo et Juliette*, trad. par J.-M. Déprats,
Gallimard, « Bibliothèque de la Pléiade », 2002.

Corneille, *Tite et Bérénice*

Dans cette tragédie, Corneille (1606-1684) met une nouvelle fois en scène le combat entre l'amour et le devoir. Le nouvel empereur Tite peut-il épouser la reine de Judée Bérénice, la femme qu'il aime et dont il est aimé depuis longtemps ? Ce serait aller contre la volonté du peuple romain qui voit d'un mauvais œil ce mariage. Cédant à la pression populaire, Tite est contraint d'exiler Bérénice. Dans l'extrait suivant, Bérénice est de retour à Rome. Elle vient d'apprendre que son bien-aimé s'apprête à épouser Domitie et elle le soupçonne de vouloir la marier à Domitian. Elle lui reproche de sacrifier son amour au devoir et de ne pas faire valoir son autorité de monarque.

BÉRÉNICE

Me cherchez-vous, Seigneur, après m'avoir chassée ?

TITE

Vous avez su mieux lire au fond de ma pensée,
Madame, et votre cœur connaît assez le mien,
Pour me justifier, sans que j'explique rien.

BÉRÉNICE

Mais justifiera-t-il le don qu'il vous plaît faire
De ma propre personne, au Prince votre frère[1] ?
Et n'est-ce point assez de me manquer de foi,
Sans prendre encor le droit de disposer de moi :
Pouvez-vous jusque-là me bannir de votre âme,
Le pouvez-vous, Seigneur ?

TITE

Le croyez-vous, Madame ?

BÉRÉNICE

Hélas, que j'ai de peur de vous dire que non !
J'ai voulu vous haïr, dès que j'ai su ce don,

1. Il s'agit de Domitian.

Mais à de tels courroux l'âme en vain se confie,
À peine je vous vois, que je vous justifie.
Vous me manquez de foi, vous me donnez, chassez,
Que de crimes! un mot les a tous effacés.
Faut-il, Seigneur, faut-il que je ne vous accuse,
Que pour vous dire aussitôt que c'est moi qui m'abuse,
Que pour me voir forcée à répondre pour vous?
Épargnez cette honte à mon dépit jaloux,
Sauvez-moi du désordre où ma bonté m'expose,
Et du moins par pitié dites-moi quelque chose:
Accusez-moi plutôt, Seigneur, à votre tour.

TITE

Domitie est le choix de Rome, et de mon Père,
Ils crurent à propos de l'ôter à mon frère,
De crainte que ce cœur jeune, et présomptueux,
Ne rendît téméraire un Prince impétueux.
Si pour vous obéir je lui suis infidèle,
Rome qui l'a choisie y consentira-t-elle?

BÉRÉNICE

Quoi, Rome ne veut pas, quand vous l'avez voulu?
Que faites-vous, Seigneur, du pouvoir absolu?
N'êtes-vous dans ce trône où tant de monde aspire
Que pour assujettir l'Empereur à l'Empire?
Sur ses plus hauts degrés Rome vous fait la loi:
Elle affermit, ou rompt le don de votre foi!
Ah! si j'en puis juger sur ce qu'on voit paraître,
Vous en êtes l'esclave, encor plus que le maître.

Corneille, *Tite et Bérénice* [1670], dans *Œuvres complètes*, t. 3,
Gallimard, « Bibliothèque de la Pléiade », 1987.

Racine, *Phèdre*

Dans cette tragédie, représentée pour la première fois en 1677, Jean Racine (1639-1699) met en scène une héroïne qui est aveuglée par sa passion incestueuse pour son gendre Hippolyte et qui en oublie tous ses devoirs. Dans la scène suivante, elle avoue à sa suivante Œnone son amour coupable.

PHÈDRE

Mon mal vient de plus loin. À peine au Fils d'Égée[1],
Sous les lois de l'Hymen[2] je m'étais engagée,
Mon repos, mon bonheur semblait être affermi,
Athènes me montra mon superbe ennemi.
Je le vis, je rougis, je pâlis à sa vue.
Un trouble s'éleva dans mon âme éperdue.
Mes yeux ne voyaient plus, je ne pouvais parler,
Je sentis tout mon corps et transir[3], et brûler.
Je reconnus Vénus, et ses feux redoutables,
D'un sang qu'elle poursuit tourments inévitables.
Par des vœux assidus je crus les détourner,
Je lui bâtis un Temple, et pris soin de l'orner.
De victimes moi-même à toute heure entourée,
Je cherchais dans leurs flancs ma raison égarée.
D'un incurable amour remèdes impuissants !
En vain sur les Autels ma main brûlait l'encens.
Quand ma bouche implorait le nom de la Déesse,
J'adorais Hippolyte, et le voyant sans cesse,
Même au pied des Autels que je faisais fumer,
J'offrais tout à ce Dieu, que je n'osais nommer.
Je l'évitais partout. Ô comble de misère !
Mes yeux le retrouvaient dans les traits de son Père.
Contre moi-même enfin j'osai me révolter.
J'excitai mon courage à le persécuter.
Pour bannir l'Ennemi dont j'étais l'idolâtre,
J'affectai les chagrins d'une injuste Marâtre,

---

1. **Fils d'Égée** : Thésée, le père d'Hippolyte.
2. **Hymen** : mariage.
3. **Transir** : glacer.

Je pressai son exil, et mes cris éternels
L'arrachèrent du sein, et des bras paternels.
Je respirais, Œnone. Et depuis son absence
Mes jours moins agités coulaient dans l'innocence.
Soumise à mon Époux, et cachant mes ennuis,
De son fatal hymen je cultivais les fruits.
Vaines précautions! Cruelle destinée!
Par mon Époux lui-même à Trézène[1] amenée
J'ai revu l'Ennemi que j'avais éloigné.
Ma blessure trop vive aussitôt a saigné.
Ce n'est plus une ardeur dans mes veines cachée.
C'est Vénus toute entière à sa proie attachée.
J'ai conçu pour mon crime une juste terreur.
J'ai pris la vie en haine, et ma flamme en horreur.
Je voulais en mourant prendre soin de ma gloire,
Et dérober au jour une flamme si noire.
Je n'ai pu soutenir tes larmes, tes combats.
J'ai tout avoué, je ne m'en repens pas,
Pourvu que de ma mort respectant les approches
Tu ne m'affliges plus par d'injustes reproches,
Et que tes vains secours cessent de rappeler
Un reste de chaleur, tout prêt à s'exhaler.

Jean Racine, *Phèdre* [1677], Belin-Gallimard, «Classico», 2010.

Choderlos de Laclos, *Les Liaisons dangereuses*

Composé de cent soixante lettres, *Les Liaisons dangereuses* (1782) mettent en scène deux libertins, la marquise de Merteuil et le vicomte de Valmont, qui multiplient les conquêtes amoureuses. Ce dernier notamment déploie tout son art de séducteur pour vaincre avec succès les réticences de la vertueuse Mme de Tourvel. Incapable de lutter contre son amour naissant pour le vicomte et désireuse de rester fidèle à son mari, Mme de Tourvel finit par s'enfuir. Dans l'extrait suivant, elle expose à son amie Mme de Rosemonde le combat que se livrent sa passion dévorante et ses devoirs conjugaux.

---

1. **Trézène** : ville de Grèce.

Lettre CII « La présidente de Tourvel à Mme de Rosemonde »

Vous serez bien étonnée, Madame, en apprenant que je pars de chez vous aussi précipitamment. Cette démarche va vous paraître extraordinaire : mais que votre surprise va redoubler quand vous en saurez les raisons ! [...] mon cœur est oppressé ; il a besoin d'épancher[1] sa douleur dans le sein d'une amie également douce et prudente : quelle autre que vous pouvait-il choisir ? Regardez-moi comme votre enfant. Ayez pour moi les bontés maternelles ; je les implore. J'y ai peut-être quelques droits par mes sentiments pour vous.

Où est le temps où, tout entière à ces sentiments louables, je ne connaissais point ceux qui, portant dans l'âme le trouble mortel que j'éprouve, ôtent la force de les combattre en même temps qu'ils en imposent le devoir ? [...]

Que vous dirais-je enfin ? j'aime, oui, j'aime éperdument. Hélas ! ce mot que j'écris pour la première fois, ce mot si souvent demandé sans être obtenu, je payerais de ma vie la douceur de pouvoir une fois seulement le faire entendre à celui qui l'inspire ; et pourtant il faut le refuser sans cesse ! Il va douter encore de mes sentiments ; il croira avoir à s'en plaindre. Je suis bien malheureuse ! Que ne lui est-il aussi facile de lire dans mon cœur que d'y régner ? Oui, je souffrirais moins, s'il savait tout ce que je souffre ; mais vous-même, à qui je le dis, vous n'en aurez encore qu'une faible idée.

Dans peu de moments, je vais le fuir et l'affliger. Tandis qu'il se croira encore près de moi, je serai déjà loin de lui : à l'heure où j'avais coutume de le voir chaque jour, je serai dans des lieux où il n'est jamais venu, où je ne dois pas permettre qu'il vienne. Déjà tous mes préparatifs sont faits ; tout est là, sous mes yeux ; je ne puis les reposer[2] sur rien qui ne m'annonce ce cruel départ. Tout est prêt, excepté moi !...

Choderlos de Laclos, *Les Liaisons dangereuses*,
Gallimard, « Folioplus classiques », 2006.

---

1. **Épancher** : confier.
2. **Reposer** : poser.

Autour de l'œuvre

Interview imaginaire de Pierre Corneille

⏭ *Pourriez-vous nous raconter vos premières années et nous dire quand vous est venu le goût du théâtre ?*

Je suis né à Rouen le 6 juin 1606. Mon père, riche propriétaire foncier, y menait une carrière juridique. Conformément à la tradition familiale, j'ai reçu une formation pour devenir avocat, mais je n'ai jamais été intéressé par ce métier. En revanche, j'ai toujours eu un goût prononcé pour la littérature. À l'école, j'ai obtenu plusieurs prix pour des vers latins. Très tôt, j'ai eu aussi la chance d'assister à des représentations théâtrales. J'adorais voir jouer les comédiens.

Pierre Corneille (1606-1684)

⏭ *Comment vous êtes-vous lancé dans la carrière théâtrale ?*

C'est lors du passage dans ma ville du comédien parisien Mondory que tout s'est décidé. Très désireux d'entamer une carrière d'auteur dramatique, j'ai proposé à ce grand acteur d'interpréter une comédie que je venais d'écrire, intitulée *Mélite*. Mondory a accepté de la monter avec la troupe qu'il avait fondée à Paris, le théâtre du Marais. Dès la première représentation, en 1629, la pièce a connu un grand succès et a fait rapidement parler de moi. J'ai alors écrit pour cette même troupe plusieurs comédies – *Clitandre, La Galerie du Palais, La Suivante, La Place royale* – qui ont connu de véritables triomphes. Louis XIII en personne a assisté à la représentation d'une de mes pièces qu'il a beaucoup aimée. Richelieu m'a accordé, en 1635, une pension de 1500 livres (ce qui était une somme considérable pour l'époque) et m'a admis dans la prestigieuse Société des cinq auteurs chargée d'illustrer la grandeur du théâtre français.

Pourquoi peut-on dire que* Le Cid *a été un tournant dans votre carrière ?

Jusqu'alors, je m'étais surtout illustré dans le genre de la comédie, mais je voulais m'essayer à un genre plus noble, la tragi-comédie. Pour écrire *Le Cid*, j'ai cherché d'autres sources d'inspiration que j'ai trouvées dans une pièce espagnole intitulée *Las Mochedades del Cid*. Son sujet, l'amour entre une femme et l'assassin de son père, était à la fois romanesque et tragique et me semblait pouvoir provoquer une forte sensation chez le spectateur. Je ne me suis pas trompé ! La pièce a été immédiatement un triomphe et j'ai définitivement conquis les spectateurs parisiens : le public s'est passionné pour la grandeur héroïque et l'amour exalté de Rodrigue et de Chimène. Mais les critiques de théâtre les plus reconnus du moment (Chapelain, Mairet et Scudéry) n'ont pas tardé à m'accuser d'avoir plagié la pièce espagnole. Ils m'ont fait beaucoup d'autres reproches (immoralité, invraisemblance, etc.), dans des textes parfois très virulents. Cette réaction des doctes a eu l'avantage de faire beaucoup de publicité à ma pièce et de lancer ma carrière d'auteur tragique.

Pourquoi vous a-t-on ainsi critiqué ? Quelle a été l'issue de cette querelle ?

Il faut s'imaginer qu'à l'époque le théâtre était un art en plein essor et ne bénéficiait pas de règles claires : on sortait d'une période où les pièces étaient toutes plus extravagantes les unes que les autres. Pour être reconnu comme un art à part entière, il fallait que le théâtre se dote d'une doctrine. En critiquant ma pièce, mes adversaires ont vu une superbe occasion d'exposer leur vision du théâtre. De mon côté, j'ai d'abord décidé de défendre ma pièce, en proclamant l'originalité de mes productions et mon indépendance, mais comme la querelle s'envenimait, Richelieu a confié à l'Académie l'examen de ma pièce. J'espérais que l'issue me serait favorable, mais l'Académie m'a elle aussi attaqué sur la non-conformité aux règles classiques, tout en contestant les accusations de plagiat. J'ai donc décidé de composer des pièces plus conformes aux exigences des doctes : j'ai écrit une nouvelle version du *Cid* en 1660, et j'ai présenté des nouvelles pièces « régulières » comme *Horace* en 1640, *Cinna* en 1642 et *Polyeucte* en 1643.

⏭ *Votre carrière a-t-elle été ensuite aussi éclatante ?*

J'ai encore connu beaucoup de succès avec la plupart de mes pièces : *La Mort de Pompée* et *Le Menteur* (1643), *La Suite du Menteur* et *Rodogune* (1645). Le successeur de Richelieu, Mazarin, a d'ailleurs renouvelé ma pension, malgré quelques échecs. La représentation de *Pertharite* en 1652 a cependant mis un terme, certes momentané, mais brutal à ma carrière. La pièce qui pouvait passer pour un éloge des princes révoltés contre la Couronne n'a pas plu au pouvoir qui m'a privé de ma pension. Je me suis alors éloigné de la scène pour quelque temps, jusqu'en 1658, date à laquelle Fouquet (un très riche seigneur qui finançait beaucoup d'artistes) m'a pris sous sa protection. Le plus difficile pour moi a été de faire face à un jeune rival, Racine, qui connaissait un succès grandissant et me faisait de l'ombre. Même si je suis resté un écrivain très célèbre, ma carrière n'a plus jamais été aussi éclatante qu'à mes débuts et j'ai dû me résigner au fait que mes pièces ne soulevaient plus le même enthousiasme. Néanmoins, je suis mort avec les honneurs en 1684 et, un an plus tard, Racine, prononçait mon éloge à l'Académie française.

Contexte historique et culturel

Louis XIII et le renforcement du pouvoir monarchique

À la mort de son père le roi Henri IV en 1610, Louis XIII est sacré roi alors qu'il n'est encore qu'un enfant. En attendant sa majorité, c'est sa mère, Marie de Médicis, qui dirige la France. C'est ce qu'on appelle la Régence. Lorsque Louis XIII atteint l'âge de régner en 1617, il prend les rênes d'une France fortement affaiblie par des années de guerres civiles et l'influence grandissante de groupes contestataires. La mission du jeune Louis XIII est avant tout de pacifier le royaume et de renforcer le pouvoir monarchique. Il s'entoure alors rapidement d'un ministre très puissant, Richelieu, avec qui il cherche à rétablir l'ordre, en affaiblissant notamment les grands du royaume et en déjouant les complots.

Louis XIII cherche aussi à s'attaquer à une pratique aristocratique, le duel, contre laquelle ses prédécesseurs avaient déjà lutté, sans succès. Au début du XVIIe siècle, le duel est un fléau qui décime les rangs de la noblesse : on se bat pour n'importe quelle raison, dès lors qu'il est question d'honneur. C'est pourquoi, le 2 juin 1626, Richelieu décide de l'interdire définitivement en le classant dans les crimes de lèse-majesté (qui portent atteinte à la personne du roi). Corneille fait référence à cette actualité récente en choisissant d'évoquer deux duels dans sa pièce et en plaçant le roi don Fernand dans la situation de choisir entre punir et acquitter Rodrigue.

La promotion du théâtre

Une telle entreprise d'affirmation du pouvoir royal passe aussi par la promotion des arts. Louis XIII crée notamment l'Académie française en 1635, vouée au perfectionnement de la langue française et de sa culture, dont les membres sont des grandes personnalités de la vie littéraire. Parallèlement, le théâtre acquiert une popularité inédite. En 1600, Paris ne compte qu'un théâtre, celui de l'hôtel de Bourgogne, mais tout change à partir des années 1630, grâce notamment à la mise en place d'une politique de mécénat d'État et à la création d'une nouvelle scène, le théâtre du Marais où sont jouées les pièces de Corneille. Richelieu, qui aimait cet art et en avait également compris le pouvoir de propagande, favorise le développement de plusieurs compagnies, finance de nombreux projets et attribue des pensions à des auteurs dramatiques de manière à ce qu'ils puissent se consacrer pleinement à leur art. Il crée aussi la prestigieuse Société des cinq auteurs, chargée d'illustrer la grandeur du théâtre français et d'en faire un art de premier plan. Grâce à toutes ces mesures, l'on assiste à une floraison inédite de pièces et à une incroyable diversification de la production théâtrale.

La querelle du *Cid* et l'élaboration des règles classiques

Un tel essor entraîne une réflexion sans précédent de la part des doctes sur les règles dont doit se doter le théâtre. Un genre est alors particulièrement à la mode, la tragi-comédie, qui est faite de situations romanesques et rocambolesques et n'obéit à aucune règle stricte. Face à elle, s'impose progressivement la tragédie fondée au contraire sur le respect de codes rigoureux. La présentation du *Cid* joue un rôle de premier plan dans cette évolution. La première version du *Cid*, qui date de 1637, est un triomphe et c'est pourquoi elle attire tout particulièrement l'attention des théoriciens qui la critiquent pour son absence de conformité avec ce que doit être selon eux le théâtre classique. Ils dénoncent le manque de bienséance de la pièce et fustigent l'immoralité de Chimène, éprise de l'assassin de son père. Ils reprochent également à Corneille de contrevenir à la règle des trois unités. L'unité d'action est mise à mal par le fait que les scènes avec l'Infante retardent l'action sans la faire évoluer. La règle de l'unité de lieu (l'action doit prendre place dans un unique lieu) est bafouée (Corneille installe ses personnages dans plusieurs lieux). La règle de l'unité de temps (l'action ne doit pas excéder vingt-quatre heures) est respectée, mais de manière artificielle (il y a trop de péripéties pour une seule journée). Pour répondre à ces critiques, Corneille est contraint de proposer une seconde version du *Cid* en 1660, plus conforme aux préceptes édictés par ses adversaires. On peut voir là l'acte de naissance des règles classiques qui régiront le théâtre pendant plusieurs siècles.

Repères chronologiques

1598	**Édit de Nantes.**
1606	Naissance de Corneille.
1610	**Mort d'Henri IV et début de la Régence de Marie de Médicis.**
1617	**Début du règne personnel de Louis XIII.**
1624	**Richelieu devient ministre de Louis XIII.**
1629	Corneille, *Mélite*.
1635	Fondation de l'Académie française.
1637	Corneille, *Le Cid*. Descartes, *Discours de la méthode*.
1638	**Naissance de Louis XIV.**
1639	Naissance de Racine.
1640	Corneille, *Horace*.
1642	**Mort de Richelieu.**
1643	**Mort de Louis XIII. Début de la Régence d'Anne d'Autriche. Mazarin devient ministre de Louis XIV.**
1659	Molière, *Les Précieuses ridicules*.
1660	Corneille, deuxième version du *Cid*.
1661	**Début du règne personnel de Louis XIV.**
1667	Racine, *Andromaque*.
1670	Corneille, *Tite et Bérénice*. Racine, *Bérénice*.
1682	**La cour s'installe à Versailles.**
1684	Mort de Corneille.
1685	**Révocation de l'édit de Nantes.**

Les grands thèmes de l'œuvre

L'héroïsme

De Rodrigue au Cid

La pièce de Corneille peut être lue comme la mise en scène d'une métamorphose : celle de Rodrigue en Cid. Jeune premier qui vit dans l'ombre de son père, il devient au fil des actes un héros national dont on célèbre les exploits. Plusieurs indices attestent cette évolution. Le changement de nom d'abord qui intervient à l'acte IV résume l'accomplissement du héros, car « Cid » vient du terme arabe *sidi* qui signifie « seigneur ». Ensuite, l'évolution du volume des prises de parole de Rodrigue est fort significative. À sa première apparition (acte I, scène 6), le jeune homme ne prononce que quelques mots face à un père autoritaire. Puis, dans la scène 5 de l'acte III, les deux personnages se retrouvent face à face et le rapport de force a changé : les répliques entre le père et le fils sont beaucoup plus équilibrées. Après avoir montré son courage et sa valeur héroïque, Rodrigue tient tête à son père. Enfin, la scène où il fait le récit de son combat contre les Mores (acte IV, scène 3) achève de couronner sa gloire. Il a acquis le droit de prendre la parole longuement devant le roi qui lui témoigne son admiration.

Un parcours initiatique

Le cheminement accompli par Rodrigue s'apparente à un parcours initiatique semé d'épreuves, dans lequel le héros travaille à sa gloire. Lors du duel avec le Comte, Rodrigue révèle d'emblée sa valeur, puisqu'il l'emporte sur un homme puissant. Une telle victoire lui vaut l'estime du roi et de ses sujets, mais, comme le rappelle don Diègue à la fin de l'acte III, elle ne suffit pas pour forcer l'admiration de tous. Pour montrer sa grandeur héroïque, Rodrigue doit aller plus loin en accomplissant des exploits pour son pays. C'est pourquoi, le même jour que le duel, il mobilise une armée et repousse l'ennemi more qui menace le royaume. En vingt-quatre heures, le jeune Rodrigue est devenu une gloire nationale. C'est d'ailleurs un élément qui a retenu l'attention des adversaires de Corneille qui lui ont reproché l'invraisemblance de ces nombreuses péripéties en un laps de temps aussi réduit.

La générosité du héros

Si la démonstration de vertus guerrières est centrale pour témoigner de la grandeur de Rodrigue, elle n'est pas suffisante. Le parfait héros doit combiner plusieurs vertus. Lorsque, dans l'acte I, son père lui demande s'il a du « cœur » (qui signifie à la fois « courage » et « siège des sentiments » au XVIIe siècle), il lui demande tout autant de faire preuve de son courage guerrier et de son sens de l'honneur que de la noblesse de ses sentiments. Il doit se montrer digne à la fois de son père et de Chimène, être à la hauteur de son nom : c'est ce que le terme de « générosité », utilisé à de nombreuses reprises dans la pièce, résume à lui seul. Il faut rappeler que le mot est issu du latin *genus* (« la race ») et qu'il signifie à l'origine « de bonne naissance ». Pour celui qui est bien né, la grandeur héroïque consiste moins à sortir du rang qu'à révéler son essence héroïque, transmise par sa lignée aristocratique, à faire éclater ses vertus nobiliaires et l'excellence de ses sentiments.

L'amour mis à l'épreuve

Le dilemme amour et devoir

Pour faire briller l'héroïsme de Rodrigue et sa maîtrise de soi, Corneille a choisi de placer ce personnage dans une situation difficile : Rodrigue est déchiré entre la défense de son honneur (venger son père) et l'amour qu'il éprouve pour Chimène. Quel qu'il soit, le choix suppose donc un renoncement à ce qui lui est cher : soit il ne se montre pas digne de son père, soit il dit adieu à jamais à sa maîtresse en tuant le Comte. Pour montrer combien la décision est difficile à prendre pour le jeune héros, Corneille a choisi de laisser Rodrigue s'exprimer dans un monologue composé de stances (acte I, scène 7). Ce passage offre une pause dans l'action et provoque la pitié du spectateur (au même titre que les stances de l'Infante et les scènes où Chimène confie son amour à Elvire).

Se montrer digne de l'autre

Si Rodrigue décide de venger son père, c'est parce qu'il sait qu'il n'a pas le choix. Renoncer à sa réputation signifierait en effet qu'il ne serait plus digne de Chimène. Lui sacrifier son honneur reviendrait à compromettre son couple. L'amour héroïque interdit les faiblesses ; il ne va pas sans l'estime de l'autre et la reconnaissance de sa grandeur. Or, chez Corneille, l'amant est en même temps l'ennemi et il faut paradoxalement se venger de celui qu'on aime pour être à sa hauteur. Cette aspiration à égaler Rodrigue explique que Chimène manifeste un tel acharnement à demander sa tête, malgré ses sentiments.

Chimène : une héroïne à la hauteur de Rodrigue ?

Dans la première version du *Cid* présentée dans cet ouvrage, la pièce se termine sur une note optimiste, typique de la tragi-comédie. Rodrigue et Chimène se marieront, même si la cérémonie est remise à plus tard. Une telle fin signifie que l'héroïne a renoncé à poursuivre Rodrigue, et a même pris la décision dès le lendemain du duel d'épouser l'assassin de son père. La clémence de Chimène a beaucoup choqué les contemporains de Corneille qui ont vu en elle une héroïne immorale. Et, en effet, pendant toute la pièce, la jeune femme évoque bien plus ses sentiments amoureux pour Rodrigue que la douleur causée par la mort de son père. Elle reçoit également à deux reprises Rodrigue chez elle, c'est-à-dire dans la maison même du Comte. Elle semble donc sacrifier à son amour l'honneur de sa famille et ne se montre pas à la hauteur de son amant. C'est pour essayer de répondre en partie à ces reproches que Corneille a choisi, dans la deuxième version de la pièce (en 1660), de remanier la fin. Il a ajouté deux vers dans lesquels Chimène demande au roi de revoir son jugement (qu'elle épouse Rodrigue). Le mariage est donc présenté cette fois-ci comme incertain.

Fenêtres sur...

 *Des ouvrages à lire*

Des pièces de Corneille

• Pierre Corneille, *L'Illusion comique* [1636], Gallimard, « La bibliothèque Gallimard », 2000.
Pridamant cherche à retrouver son fils Clindor qu'il n'a pas vu depuis des années. Le magicien Dorante a le pouvoir de lui montrer ce qu'il est devenu. On découvre alors le jeune héros en prise avec une histoire d'amour qui l'entraîne dans d'étranges aventures. Dans cette pièce irrégulière que Corneille lui-même appelait un « étrange monstre », le dramaturge réunit plusieurs genres dramatiques. Une pièce à lire pour avoir un aperçu de la virtuosité créatrice du jeune Corneille.

• Pierre Corneille, *Horace* [1640], Gallimard, « Folio », 1994.
Une guerre fratricide a éclaté entre Rome et la cité voisine d'Albe. Le jeune romain Horace a épousé une fille d'Albe, Sabine. Camille, la sœur d'Horace, est fiancée à Curiace, le frère de Sabine. Pour mettre fin au conflit entre les deux pays, il a été décidé que serait organisé un combat opposant trois Romains et trois Albains. Les deux familles apprennent avec horreur que Horace et ses frères ont été désignés pour représenter le camp romain et que Curiace et ses frères doivent défendre le clan albain. Horace et Curiace parviendront-ils à aller au bout de leur devoir en faisant fi de leur amitié ? Avec Horace, *Corneille écrit sa première tragédie qui respecte en tous points les règles édictées par ses adversaires lors de la querelle du* Cid.

D'autres tragédies classiques

• Jean Racine, *Bérénice* [1670], Gallimard, « La bibliothèque Gallimard », 2001.
À la mort de Vespasien, Titus accède au trône de Rome. Il est amoureux de la reine de Judée, Bérénice, et aimerait l'épouser. Ce serait aller contre la volonté du peuple romain qui éprouve une haine sans merci envers la royauté. Titus ne peut être à la fois empereur et époux de Bérénice. Il doit choisir entre ces deux titres. Qui de l'amour ou du devoir finira par l'emporter ?

Des romans sur le XVIIe siècle

• Alexandre Dumas, *Les Trois Mousquetaires* [version abrégée], L'École des loisirs, 1998.

Pour le prochain bal de la Cour, le roi Louis XIII voudrait que son épouse porte son collier de diamants, mais celle-ci l'a offert à son amant, le duc de Buckingham. Les quatre mousquetaires, Athos, Porthos, Aramis et d'Artagnan, sont secrètement chargés de retrouver la parure... Ce roman d'Alexandre Dumas nous plonge dans l'univers captivant des intrigues de cape et d'épée.

• Anne-Marie Desplat-Duc, *Les Colombes du Roi-Soleil*, Flammarion, 2005-2010.

Hortense, Isabeau, Charlotte et Louise vivent à la Maison Royale de Saint-Louis, à Saint-Cyr, près de Versailles, où elles sont les élèves de Mme de Maintenon. Un jour, Racine écrit une pièce spécialement pour elles. Y aura-t-il un rôle pour chacune d'entre elles ? Ce roman de littérature de jeunesse décrit la vie des jeunes filles au XVIIe *siècle et plus particulièrement l'univers du théâtre.*

Une adaptation du *Cid* en bande dessinée

• Oliv', Jean-Louis Mennetrier et Christophe Billard, *Le Cid, une tragédie de Pierre Corneille*, Darnétal, Petit à petit, 2006.

Une adaptation du Cid *en bande dessinée qui reprend intégralement le texte de la version de 1660. Les illustrations en noir et blanc guident la compréhension de la pièce.*

♫ Des CD à écouter

• Marc-Antoine Charpentier, *Les Plaisirs de Versailles. Airs sur les stances du Cid*, sous la direction de William Christie, Erato, 1996.

Compositeur du siècle de Louis XIV, Marc-Antoine Charpentier a mis en musique le magnifique texte des stances du Cid *pour un divertissement destiné à l'inauguration des appartements du Roi-Soleil en 1682. Un disque à écouter pour découvrir les charmes de la musique du* XVIIe *siècle.*

• *Le Cid*, Jean Vilar, avec Gérard Philipe dans le rôle-titre, Hachette-Audivis, 1990.
Il s'agit d'un enregistrement d'une représentation donnée à Avignon le 15 juillet 1951 dans une mise en scène qui a connu un très grand succès. L'acteur Gérard Philipe qui, au départ, ne voulait pas jouer ce rôle, restera à jamais Rodrigue dans la mémoire collective.

 Des films à voir

(Les œuvres citées ci-dessous sont disponibles en DVD.)

Des interprétations du *Cid*

• Anthony Mann, *Le Cid*, avec Charlton Heston dans le rôle de Rodrigue et Sophia Loren dans le rôle de Chimène, 1961.
Le film raconte la vie du Cid, telle qu'elle est décrite dans la tradition espagnole, et se déroule sur une longue période qui dépasse largement l'épisode du duel avec le Comte. Le film fait la part belle à de gigantesques scènes de bataille.

• *Le Cid*, mise en scène Thomas Le Douarec, avec Gilles Nicoleau dans le rôle-titre, Théâtre de la Madeleine, 1999.
Cette mise en scène filmée propose une version flamenco du Cid qui a connu un très grand succès. Passionné de musique et de théâtre, Thomas Le Douarec a pris le parti d'accompagner le texte de Corneille de guitare et de danse et de mettre l'accent sur l'amour entre Chimène et Rodrigue.

Un film d'animation

• José Pozo, *La Légende du Cid*, 2003.
Ce film d'animation espagnol retrace lui aussi la vie de Rodrigue sur plusieurs années et raconte ses exploits héroïques. De nombreuses scènes s'écartent de la légende historique et sont complètement inventées. Le réalisateur a choisi de dessiner les personnages dans des proportions gigantesques pour souligner leur destin hors du commun.

 *Des œuvres d'art à découvrir*

- **Diego Velásquez, *La Reddition de Breda, ou les Lances*,** huile sur toile, 1634-1635, Madrid, Espagne, Musée du Prado.

- **Paolo Domenico Finoglio, *Raymond de Toulouse affronte Argant en duel*,** 1642-1645, Conversano, Italie, Pinacoteca Paolo Domenico Finoglio.

- ***Le Cid campéador*,** statue équestre, Burgos, Espagne, Place Moi Cid.

Notes

Notes

Notes

Notes

Notes

Dans la même collection

CLASSICOCOLLÈGE

14-18 Lettres d'écrivains (anthologie) (1)
Gilgamesh (17)
Histoires de vampires (33)
La Poésie engagée (anthologie) (31)
La Poésie lyrique (anthologie) (49)
Le Roman de Renart (50)
Guillaume Apollinaire – *Calligrammes* (2)
Chrétien de Troyes – *Yvain ou le Chevalier au lion* (3)
Didier Daeninckx – *Meurtres pour mémoire* (4)
William Golding – *Sa Majesté des Mouches* (5)
Homère – *L'Odyssée* (14)
Victor Hugo – *Claude Gueux* (6)
Joseph Kessel – *Le Lion* (38)
J.M.G. Le Clézio – *Mondo et trois autres histoires* (34)
Jack London – *L'Appel de la forêt* (30)
Guy de Maupassant – *Histoire vraie et autres nouvelles* (7)
Prosper Mérimée – *Mateo Falcone* et *La Vénus d'Ille* (8)
Molière – *L'Avare* (51)
Molière – *Les Fourberies de Scapin* (9)
Molière – *Le Malade imaginaire* (42)
Molière – *Le Médecin malgré lui* (13)
Molière – *Le Médecin volant* (52)
Jean Molla – *Sobibor* (32)
Ovide – *Les Métamorphoses* (37)
Charles Perrault – *Le Petit Poucet et trois autres contes* (15)
Edgar Allan Poe – *Trois nouvelles extraordinaires* (16)
Jules Romains – *Knock ou le Triomphe de la médecine* (10)
Antoine de Saint-Exupéry – *Lettre à un otage* (11)
Paul Verlaine – *Romances sans paroles* (12)

CLASSICOLYCÉE

Guillaume Apollinaire – *Alcools* (25)
Charles Baudelaire – *Les Fleurs du mal* (21)
Emmanuel Carrère – *L'Adversaire* (40)
Dai Sijie – *Balzac et la petite tailleuse chinoise* (28)
Annie Ernaux – *La Place* (35)
Romain Gary – *La Vie devant soi* (29)
Jean Genet – *Les Bonnes* (45)
J.-Cl. Grumberg, Ph. Minyana, N. Renaude – *Trois pièces contemporaines* (24)
Victor Hugo – *Le Dernier Jour d'un condamné* (44)
Victor Hugo – *Ruy Blas* (19)
Eugène Ionesco – *La Cantatrice chauve* (20)
Eugène Ionesco – *Le roi se meurt* (43)
Marivaux – *L'Île des esclaves* (36)
Guy de Maupassant – *Bel-Ami* (27)
Molière – *Dom Juan* (26)
Molière – *Le Tartuffe* (48)
Abbé Prévost – *Manon Lescaut* (23)
Jean Racine – *Andromaque* (22)
Jean Racine – *Phèdre* (39)
Voltaire – *Candide* (18)
Voltaire – *Zadig* (47)
Émile Zola – *La Fortune des Rougon* (46)

Cet ouvrage a été composé par Palimpseste à Paris.

Imprimé en Espagne par Novoprint (Barcelone)
N° d'édition : 005443-01 – Dépôt légal : novembre 2010